記憶力を強くする

最新脳科学が語る記憶のしくみと鍛え方

池谷裕二　著

ブルーバックス

カバー装幀／芦澤泰偉事務所
カバーイラスト／大竹雄介
本文図版／さくら工芸社
本文イラスト／滝沢時彦
目次・章扉デザイン／中山康子
章扉写真／池谷裕二

はじめに

この本をいま手にとっている皆さんは、多かれ少なかれ「脳」というものに興味がある方であると思います。常に世界の最先端で、脳の研究に従事している私たち脳科学者にとっても、やはり「脳」は不思議な物体です。どうしてこんなにちっぽけな装置で、考えたり、悩んだり、想像したりといった多彩な能力を発揮できるのか、正直なところまだ不明な点も多いのです。そうした意味で、体の中でも脳はとりわけ複雑で奥深いものであるといえます。

脳は頭蓋骨という堅い容器に囲まれることで外の世界から堅固に隔てられています。これは体のほかの場所にはない独特な構造です。さらに、脳の重さは体重のほんの二％を占めるにすぎませんが、酸素やグルコース（ブドウ糖）などのエネルギー源はなんと全身の二〇～二五％も消費しています。これらの事実は、それだけ「脳」が生命にとって重要であって、高度に特殊化しているということを物語っています。

脳の複雑なはたらきは、脳に含まれている約一〇〇〇億個の「神経細胞（ニューロン）」によって営まれています。ひと口に一〇〇〇億といっても、実際にそれを想像するのはなかなか難しいことでしょう。たとえば、いま世界の総人口は六〇億人を超えたといわれていますが、地球上の人間の数を全部合わせても、たった一人の人間の脳がもっている神経細胞の総数にはるか遠く及ばないのです。

さらに圧巻な事実は、ひとつひとつの神経細胞が互いに密接に連絡を取りあっているということです。コンピューターの複雑な電気回路と同じように、脳もまた神経細胞が作りあげている精密な「神経回路」によって機能しています。回路に含まれる神経細胞どうしの接点を「シナプス」とよびますが、このシナプスの総数は人の脳では一〇〇〇兆個にも及ぶといわれています。平均すれば、ひとつの神経細胞が一万個の神経細胞と神経回路を作っている計算になります。人間社会も人と人との相互のつながりで成立してはいますが、それでも毎日一万人もの人と互いに連絡を取りあっている人はいないでしょう。しかも、個々の神経細胞は、一分間に数百から数万回も連絡をやりとりしているというから驚きです。「世界は広し」とはよく聞く言葉ですが、「脳の中はさらに広し」であると実感させられます。脳はまさに「小宇宙」とよぶにふさわしい稠密《ちゅうみつ》空間なのです。

そして、科学技術の進歩がめざましい現在、その神秘的な機能の一部がようやく解明されつつあります。そうした中で、この本の目的は、「記憶」したり「学習」したりといった、脳の機能の中でもとりわけ高度で難解な問題について皆さんと一緒に考えていくことにあります。記憶はどのようにして脳にたくわえられるのか。そもそも「記憶力」とは何なのか。そして、記憶力を増強するためにはどういう方法があるのか。こういったことを考えながら、現代の脳科学が到達している極限にまで皆さんを案内したいと思います。

記憶のメカニズムが解明されて、記憶力をコントロールできるようになれば、学校のテストなんて簡単にクリアできるでしょう。また、より多くのものごとを習得できるようになれば、さらに彩り豊かな生活を送ることができるでしょう。しかし、それだけではありません。記憶の研究は、社会的な問題になっているアルツハイマー病などの痴呆疾患の治療法や予防法の確立に向けての大きな糸口となるのです。こうした成果を信じて、脳科学者は日々、記憶の研究に励んでいます。そして、現代脳科学はすでに「記憶力」を増強させるための手がかりをつかんでいます。

この本では、そうした脳研究の成果について、最先端の現場から直接レポートします。

私たち脳科学者の最新の研究成果をすぐにでも皆さんに紹介したいのですが、そのはやる気持ちを抑えて、本書ではまず、脳科学の基本的な概念と記憶のメカニズムを説明します。続いて「海馬《かいば》」と「LTP（長期増強）」に関する最先端の話題を軸としながら、実際にどのように記憶力を鍛えたらよいのかという話を展開していきたいと思います。がむしゃらに勉強するのは、けっして脳によいことではありません。脳には脳なりの能率的な学習方法があるのです。脳のしくみを理解すれば、答えは自然と見えてきます。脳の機能はとても奥深いものです。その本質を少しでも皆さんに伝えることができたならば幸いです。

目次

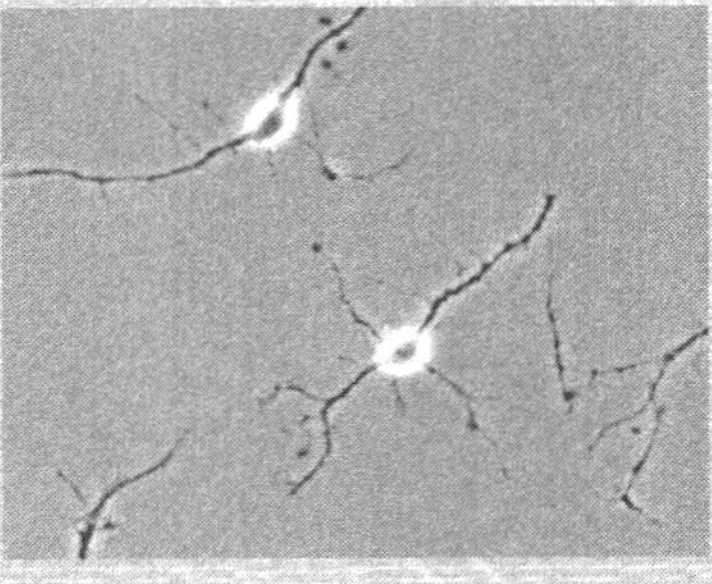

第2章 記憶の司令塔「海馬」 39

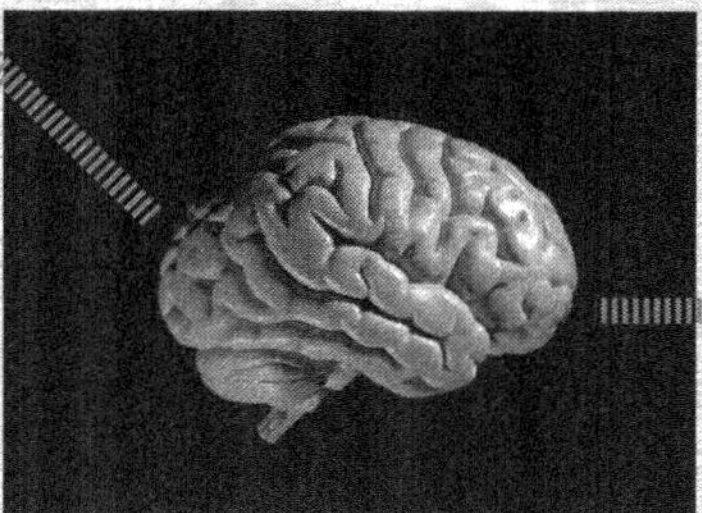

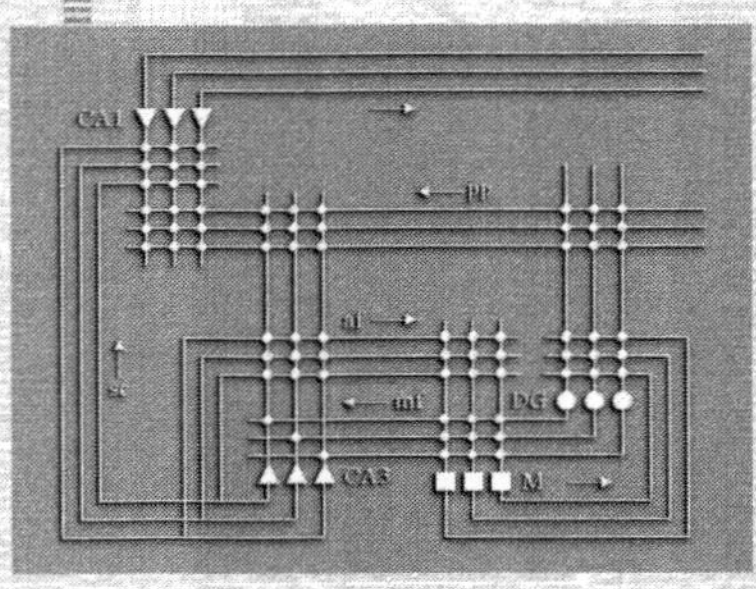

CA1
DG
CA3
M

第5章 脳のメモリー素子「LTP」 157

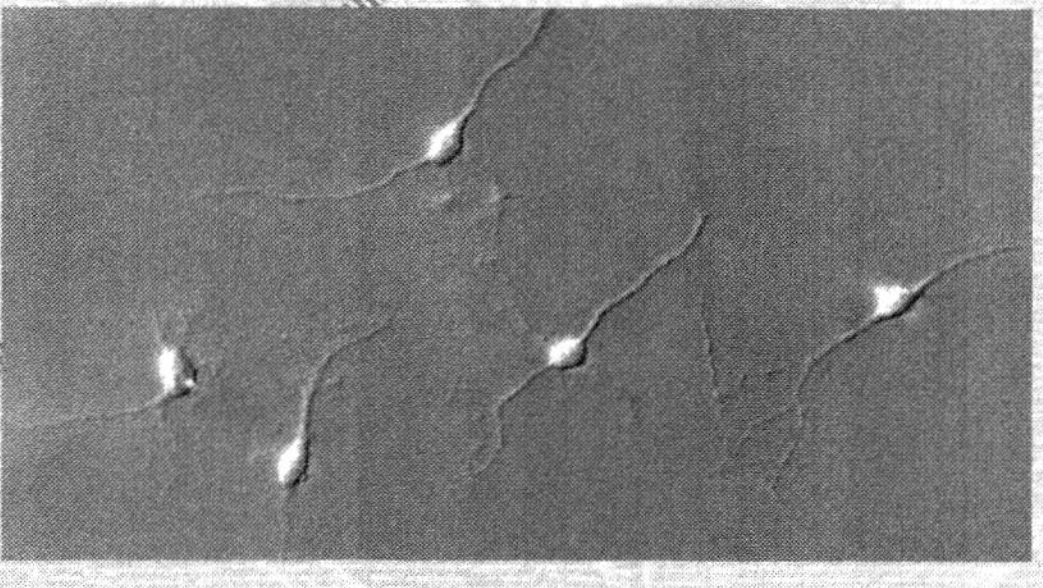

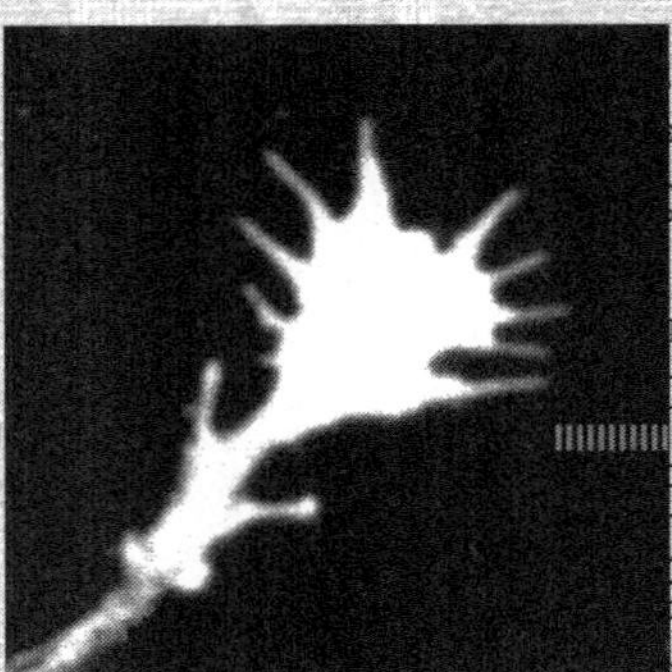

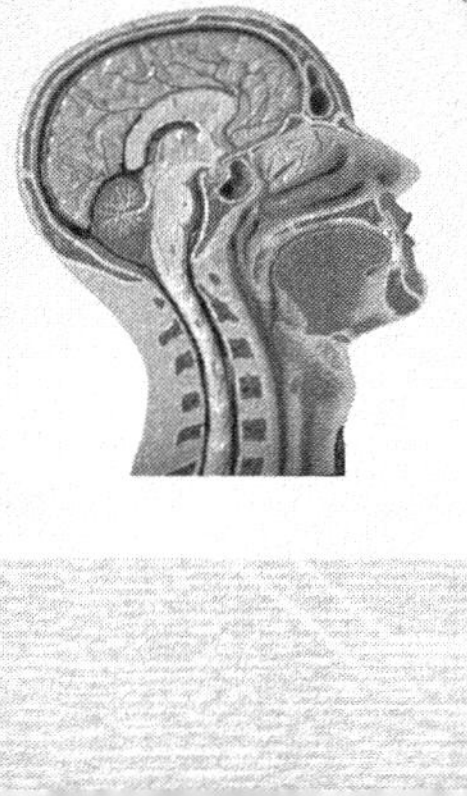

記憶こそは真実の愛の泉です。
なぜなら人は誰でも過去の記憶と未来の創造のなかに生きているのだから。

You must know that I have no heart
—— if that has anything to do with my memory.
There could be no such beauty without it.

If the green and yellow growth of weed in the chinks of the old wall
had been the most precious flowers that ever blew,
it could not have been more cherished in my remembrance.

ディケンズ『大いなる遺産』より

第1章

脳科学から見た記憶

海馬の神経細胞

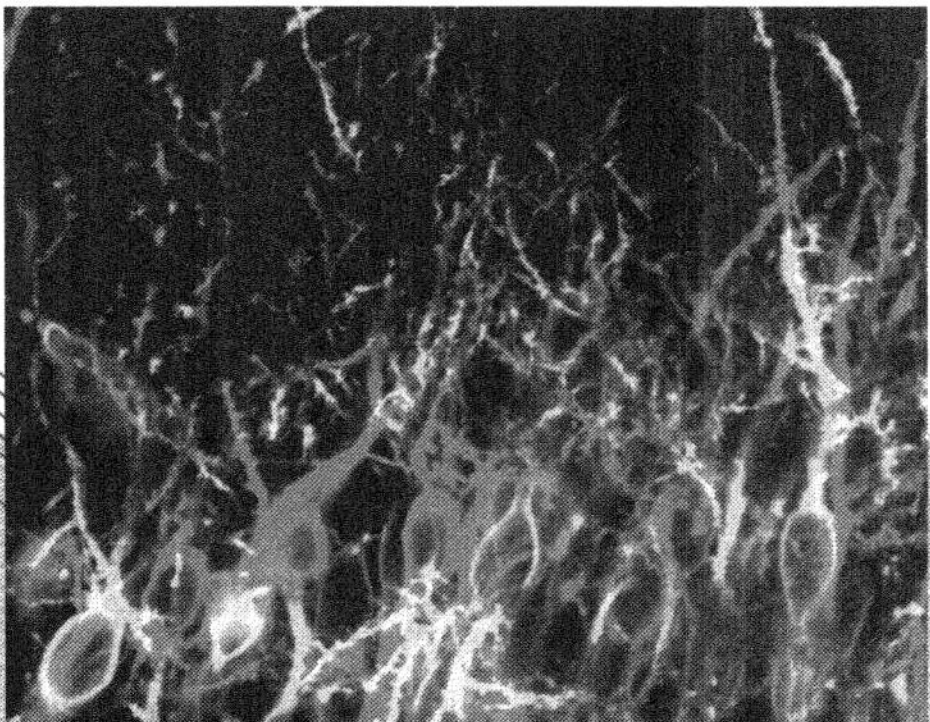

1-1 タクシー運転手の記憶力

夜の池袋の街並みが私は大好きです。帰宅を急ぐサラリーマン。交差点でたわいもないことを大げさに騒いでいる元気のよい若い学生たち。赤提灯を提げている居酒屋。小洒落《こじゃれ》た喫茶店。明るい照明のファーストフード店。そういう雑多なものが絶妙な均衡を保ってそこに存在しています。

その日も私は池袋で友人と杯を交わしつつ、多彩な話題に花を咲かせながら楽しい時間を満喫していました。昼の喧噪を忘れさせるに足るそんな心地のよい時間は、しかしながら、すぎ去るのもまた早いものです。ふと気づくと、最終電車の時刻をすぎていました。

私の住んでいる家は、池袋から歩いて帰るのには少し遠い場所にあるのです。こんなときはいつもタクシーに頼ることになるのですが、この日は運のよいことにすぐにタクシーを捕まえることができました。目の前に止まったタクシーに乗り込むと、ほろ酔い気分の私に向かって運転手は「どちらまでですか？」と丁寧な語調で尋ねてきます。いかにもベテランといった感じの好感のもてる接客態度です。行き先を告げるとタクシーは静かに走りだし、大好きな池袋の街の光を後にしました。

家までは車で二〇分といったところでしょうか。私はいつものように窓からぼんやりと風景を眺めていました。しかし、タクシーに乗ると必ずそうなのですが、この日もまた何とも複雑に張り巡らされた東京の道路に思わず頭が混乱します。いまいったいどの道路のどの辺を走っているのだろうか。どちらが北でどちらが南なのか。つぎの交差点は左右どちらに曲がればいいのか。まるで車に乗せられて見知らぬ土地につれていかれる犬のように、流れゆく景色をじっと見つめてしまうのですが、結局はタクシーの走った道順を覚えられた例《ため》がありません。自分の記憶力のなさに思わず自己嫌悪に陥ってしまいます。

それにしても、タクシー運転手はどうしてあんなにも的確に自分の走るべき順路を割り出すことができるのでしょうか。しかも、私が行き先を告げた直後には、もう目的地に向かって走り始めているのです。おそらくその瞬間には、運転手の頭の中では、どの道をどう通ってどこをどう曲がればよいかがすでにシミュレーションされているのでしょう。縦横無尽に走っている東京の道路地図などは細部の細部まで脳の中にたくわえられているにちがいないのです。

地図だけではありません。経験も重要でしょう。あの交差点は週末になると工事中のことが多いからひとつ手前の交差点で曲がらなければいけないとか、この道をこのタイミングで抜ければあの信号で止まらずにすむとか、そういった長年にわたって蓄積されてきた知識や経験も貴重な手がかりです。もちろん、これらの知識や経験は「記憶」として脳に保存されているのですから、タクシー運転手の思考と決断はまさに自分がたくわえている「記憶」に頼っているということになります。

記憶が頼りのタクシー運転手

つまり、自分の脳に記憶された「地図」と「経験」を駆使して、最新のコンピューターですら及びもつかないほどの複雑な思考を瞬時に行い、目的地への経路を正確に、そして柔軟に算出しているのです。「人間の脳は何とも不可思議であるなあ」と感じるとともに、その機能がいかに素晴らしくプログラムされていることだろうと想像をかき立てられてわくわくしてきます。それにしてもタクシー運転手は、ふつうの人には到底覚えられないような複雑な道路地図を、どのようにして覚えているのでしょうか。

1-2 神経細胞が想像する脳

人の体は数多くの「細胞」によって形成さ

れています。脳もまたこの例にもれず、細胞が集まってできあがっています。こんなことはいまとなってはあたり前の話ですが、この事実が認められたのはほんの一〇〇年ほど前のことです。生き物が細胞の集合で構成されているという認識はずっと以前からあったのですが、当時の人々は、脳だけは神秘性を帯びた特別な存在だから例外であろうと考えていたようです。そして、その不思議な能力は科学の力で解明できるはずがないと考える研究者が多かったといいます。さらに、宗教的な立場から、畏敬《いけい》の対象である聖域に科学のメスを入れることをタブーとする人も少なくありませんでした。

そうした時流の中、イタリアの解剖学者ゴルジとスペインの組織学者カハールの二人は、脳の構造を科学的に調べあげ、「神経細胞（ニューロン）」という細胞が、脳の複雑で精巧な機能を担っていることを発見しました。近代神経学の基礎を作りあげたこの二人は、その輝かしい業績が認められて一九〇六年にノーベル賞を受賞しました。

ゴルジとカハールによって神経細胞が詳しく記述されて以降、神経科学の技術進歩はめざましく、現在では脳神経をより詳しく研究することができるようになりました。その結果、人の脳にはなんと約一〇〇〇億個もの神経細胞があることがわかりました。一個の神経細胞の直径は一〇〜五〇ミクロンです。これは、髪の毛の太さの二分の一から一〇分の一に相当します。それが約一〇〇〇億個もぎっしりと詰まっているのです。

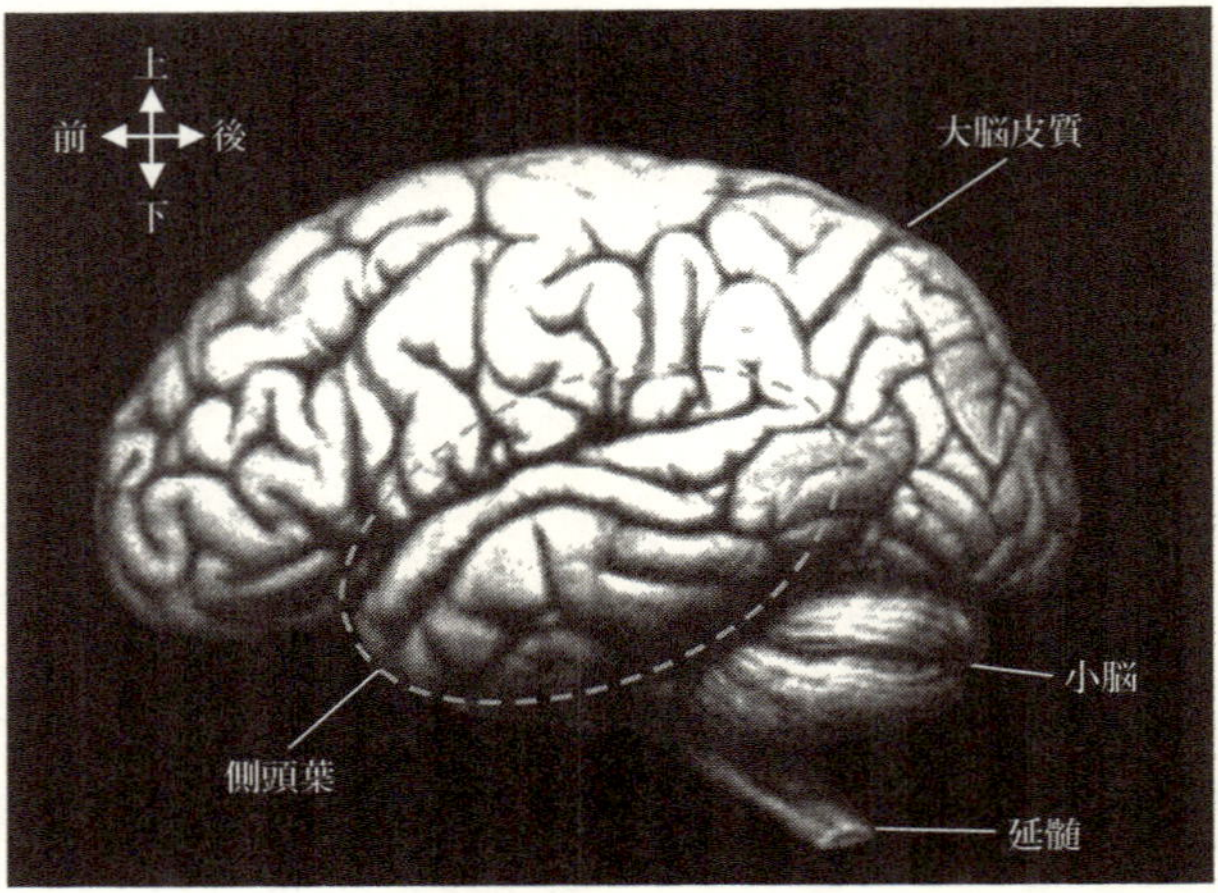

写真1　人の脳の外観

しかも、その収まり方は曖昧で無秩序なものではなく、しっかりとした規則性をもって厳然と整列しているのです。この並び方は非常に明確で、人によってちがったりはしません。誰の脳でもほぼ同じ数の神経細胞が同じような秩序で並んでいるのです。脳は大脳・小脳・延髄などさらに細かい部位に分けられますが、これらは誰の脳にでもまったく同じように存在しています。さらに、これらの部位を顕微鏡などでもっと詳細に観察してみても、細胞の並び方や形には、まったくといってよいほど個人差がありません。

また、**写真1**に見るように、脳には多くのしわが存在しています。私は、これまでに何度か「おまえは脳のしわが少ないから頭が悪いのだ」などと親に叱られて真剣に悩んでいる子供たちから相談を受けたことがありますが、実際のところ、脳のしわの数も人によるちがいはありません。誰の脳でも同じ数のしわが同じように存在しているのです。

1−3　人に個性があるわけ

脳の構造や神経細胞の並び方はあまり個人差がありません、しかし、一人の人で見ると、神経細胞の数は生涯を通じて変化していきます。じつは、人の神経細胞の数は、誕生したばかりのときがもっとも多く、歳をとるにつれてどんどん減っていくことがわかっています。つまり、若い人のほうが神経細胞をたくさんもっていて、年輩の人の神経細胞はより少ないというわけです。そして、神経細胞が減るスピードは皆さんがふつうに想像するよりもずっと速く、一日に数万個という猛烈な速さで減っていきます。これは一秒に一個くらいのペースで神経細胞が死んでいる計算になります。それだけたくさんの神経細胞が毎日つぎつぎと死んでいってしまうのです。その結果、脳の重さは生まれてから七〇歳になるまでに約五%も減ってしまいます。

神経細胞の数は減る一方で決して増えないことにはちゃんとした理由があります。じつは、神経細胞には増殖する能力がないのです。神経細胞ではないほとんどの体の細胞には増殖する能力が備わっています。よく知られた例としては肝臓の細胞が挙げられます。肝臓は手術などでたとえその九〇％を切除してしまっても数ヵ月のちには、残った肝臓の細胞が増殖して、もと通りの立派な肝臓に戻ります。また、皮膚や腸や血液の細胞などは常に盛んに増殖していて、つぎつぎと新しい細胞に作りかえられています。こうした細胞とは対照的に、神経細胞には増殖する能力がなく、死んでいく一方なのです。皆さんがこうしてこの本を読んでいる間にも、神経細胞は猛スピードで死んでいます。そして、死んでしまった神経細胞はもう二度と復活しません。

それでは、なぜ神経細胞には増殖する能力が与えられていないのでしょうか。おそらく、その理由は「脳の個性」を保ち続けるためなのでしょう。もし、脳でつぎつぎと新しい神経細胞が作られ、古い神経細胞と置き替わってしまったとしたらどうなるか考えてみてください。神経細胞は、考えたり、感じたり、想像したりと、まさに人の性格や行動を司っているのですから、それがすっかり入れ替わってしまったら、その人がその人でなくなってしまいます。つまり「今日の私」と「明日の私」は別人になってしまうというわけです。これでは人間として社会にきちんと適応できないどころか、生物として生存していくうえでもきわめて不利になってしまいます。

一般に、生物は外界の情報を吸収し適応していくことで生存しています。「経験」をたくわえて環境に対応しながら生きているのです。「記憶」は生きるために必要不可欠であるといってもよいくらいです。しかし、神経細胞がつぎつぎと入れ替わってしまったら、せっかくたくわえた記憶も消えてなくなってしまいます。これでは生存に不利なのはいうまでもありません。こんなわけで、おそらく脳は長い自然淘汰の過程で、神経細胞を増殖させずに、同じ細胞を生涯かけて使い回すという方法を選んだのでしょう。

じつは、ここに「記憶」の秘密を解く鍵が隠されているのですが、それについては、また後で話すことにしましょう。ともかくここでは、私が私であるために、そして、私の過去の記憶を将来も維持し続けるために、神経細胞は入れ替わることなく一生はたらき続けているということを覚えておいてください。神経細胞の生死の運命はまさに「脳の個性」を保つためにプログラムされているというわけです。

1-4　神経細胞を守るためには

神経細胞は増殖しません。そして、死んでしまった神経細胞は二度と復活しません。それにもかかわらず、一日に数万個も死んでしまいます。貴重な神経細胞が、そんなに猛スピードで失われていくなんて、とてももったいない気がするのは私だけではないと思います。神経細胞が減っていくスピードはちょっと速すぎるような気がします。

しかし、そのように自然に死んでいってしまう神経細胞のほとんどは、脳の中で必要とされていなかった神経細胞なのです。使われていない神経細胞が選ばれて死んでいくのです。これは脳

神経細胞はダメージに弱い

にとって合理的なことでしょう。エネルギーを無駄に消費しないためにも必要のないものは削ってしまうほうがよいのです。脳では神経細胞のリストラが行われているわけです。

ということは裏を返せば、私たちが意識して脳をよく使っていれば死んでしまう神経細胞の数を抑えることができるはずです。ただ実際のところ、約一〇〇〇億個もある神経細胞のうち、人が意識的に活用できる細胞の数は一〇％にも満たないので、どんなに頭を使ってもやはり死んでしまうスピードそのものを抑えることはほとんど不可能です。ですから、神経細胞がつぎつぎに死んでしまうという惜しむべき現象は、普段はあまり気にしなくてよいと思います。

ところが、ときには脳にとって必要な神経細胞でも死んでしまうことがあるのです。こうした場合には脳の機能にとても重大な問題が発生してきます。たとえば、記憶に深く関係している細胞がたくさん死んでしまうと「痴呆症（ボケ）」になってしまいますし、体の運動を制御している神経細胞が死んでしまうと「運動障害」がおこります。前者としてはアルツハイマー病、後者としてはパーキンソン病が代表的な疾患として有名です。こんなわけで、神経細胞が自然に死んでいくことは、自然の摂理としてある程度は仕方がないとしても、私たち自身も必要以上に神経細胞の死を早めないように十分に気を配る必要があるでしょう。

たとえば、頭を強く打ったりすると、いとも簡単に大量の神経細胞が死んでしまいます。実際、KO負けを何度もくらったボクサーは痴呆の進行が速いことが知られています。しかし、それだけではありません。手でげんこつを作って頭を軽くコツンと叩いただけでも、そのたびに数千個もの神経細胞が死んでしまうのです。ですから無意味に頭を叩くのは決して賢明な行動ではありません。ましてや、勉強のできない子供を親が叱るとき、せっかんとして頭を叩くなどということは目も当てられない行為だと私は思います。

他に神経細胞の死を早めるものとしてアルコールが挙げられます。酒の飲み過ぎは脳に対して悪影響を及ぼすことがわかっています。さらに、ある種の薬物でも神経細胞の死が誘引されます。睡眠薬や麻薬・覚醒剤類などです。また、脳に直接作用するというわけではないのですが、血管が詰まりやすい人もやはり注意する必要があります。脳は酸素や栄養不足に非常に敏感です。脳の血管が詰まって、数分でも酸素や栄養の供給がとだえると神経細胞は死んでしまいます。実際に、老人に見られる痴呆症のおよそ半分は、血管が詰まってしまったことが原因なのです。脂肪分の多い食事を続けていると、血管の組織が破壊され詰まりやすくなります。ですから、皆さんも食事のバランスには気を遣ったほうが無難です。

このような注意点はまだまだ挙げられますが、逆にこうしたことを普段からあまり気にしすぎても楽しい日常生活が送れなくなってしまいますので、過剰に神経質になる必要はありません。ただ、私たちにせっかく備わった貴重な「記憶力」を失わないためにも、これらの注意点を心の片隅に置いておき、普段の生活の中で少しでも気を遣うように配慮することが重要なことなのです。私たちひとりひとりが神経細胞の性質をきちんと理解して、自分の神経細胞を守ってあげることが「記憶力」を向上させるための第一歩です。

1-5　タクシー運転手の脳は膨らむ!?

英国ロンドン市内には二万四〇〇〇もの通りが縦横無尽に張り巡らされています。これらの通りをすべて覚えるのには、毎日市内を走っているタクシーの運転手でさえも数年はかかるといわれています。そして、一方通行の道、ロータリー、数千件もの目標物に関する記憶は、まさに

「知識」とよぶにふさわしい膨大な情報量になります。英国の認知神経学者マグワイア（注　本書では、敬称と肩書は省略、以下同）は、私と同じようにタクシー運転手の卓越した記憶力に敬意を抱いていたのでしょうか、ロンドン市内を走るタクシー運転手一六人を対象に、ｓＭＲＩ（構造的核磁気共鳴画像法）とよばれる医療機器を使って、彼らの脳の構造を調べました。ｓＭＲＩは、生きた人間の脳の断面図をコンピューター上に投影する技術で、自然な状態の脳を損傷を与えることなく細微に検査することができます。

それにしても、世の中には変わったことを考える人がいるものです。これまでにも述べてきたように、脳の構造は人によってさほど変わらないということは専門家にとっては常識的なことです。ですから通常ならば、タクシー運転手の脳の構造を一般人とくらべてみようという妙な発想は生まれてくるはずがありません。しかも、研究対象がタクシー運転手というのも奇抜です。記憶の研究者が使う実験対象は人間やサルやネズミが多いのですが、仮に人間を研究する場合でも、タクシー運転手をわざわざ大勢集めてきて実験を行うというのは並の人間には到底思いもよりません。そんな中で、マグワイアの常識にとらわれない独創的な研究が、今回紹介する意外な発見を生んだのです。このように既成の概念にとらわれない自由な発想がしばしば大発見につながります。この発見は二〇〇〇年の米国立科学アカデミー紀要に報告されました。

さて、マグワイアはその斬新な研究を行って、タクシー運転手の脳のある一部分が一般の人よりも大きいという驚くべき事実を明らかにしました。つまり、その脳部位では神経細胞の数がふつうの人よりも多いというのです。この事実は、人によって脳の大きさや形はそれほど変わらないというこれまでの常識を真っ向から否定しています。

驚くべき結果はこれだけではありませんでした。この実験結果だけでは、タクシー運転手であることと、その脳部位がふつうよりも大きいことの因果関係が不明です。つまり、タクシー運転手だからその脳部位が膨らんでいるのか、それとも逆に、その脳部位が発達した人だからタクシー運転手が務まるのかが明確ではありません。マグワイアはさらに詳細な研究を行って、この疑問を明らかにしています。つまり、タクシー運転手でもベテランであるほどその脳部位が発達していることを示したのです。職歴が長い人ほど神経細胞の数が多いというわけです。実際、ハンドルを握って三〇年たつと、三％もその脳部位が膨らむことがわかりました。

この発見は脳研究者にとって二つの意味で衝撃的でした。ひとつ目は、減る一方であると思われていた脳の神経細胞が、じつは、増殖して数が増えることもありうるという事実です。体積が三％増えるということは、神経細胞の数に換算すれば二〇％も増殖したことになります。これによって脳研究者は神経細胞の生存に関するこれまでの概念を根底から考え直さなければならなくなりました。

二つ目は、脳を使えば使うほど神経細胞が増えるという事実です。脳を鍛えることで記憶を司る神経細胞を増やすことができるというわけです。タクシー運転手の卓越した記憶力は、まさにじっくりと脳を鍛え上げた結果であったのです。そして、その優れた記憶力は神経細胞が一般人よりも多いという実質的な現象によって裏付けられました。おそらく私が夜の池袋で出会ったベテランのタクシー運転手もたくさんの神経細胞をもった方だったことと思います。

1-6　鍛えた分だけ記憶力がつく

これと似た現象は、タクシー運転手と同じように頭脳をふんだんに使う業種に携わっている人にも生じていると思われます。そう考えると、マグワイアのこの研究結果は、私たち一般人にも勇気を与えてくれます。

つまり、脳の構造は基本的には人によって変わらないのですが、頭を多く使って鍛えれば、神経細胞はこれに応えるように増殖し、記憶力は自然に増大するのです。これは選ばれた人にのみできるのではなくて、誰でも努力すれば可能なことなのです。なぜならばタクシー運転手であれば誰でも、しかもベテランであればあるほど神経細胞は増えているのです。運転手を始める前は、ごくふつうの脳でしかなかったにもかかわらず頭を使うことで鍛えられたのです。

さらに驚くべきことに、マグワイアが研究対象としたタクシー運転手たちは、成年に達してから運転手を始めた人がほとんどです。つまり、神経細胞は大人になってからでも十分に増殖するのです。皆さんの中には、「私はもうそんなに若くないから、いまさら鍛えるといっても……」と躊躇《ちゅうちょ》される人もいるかもしれませんが、気後れする必要はありません。実際には、七〇歳を超えた人でも脳をきちんと使えばまだまだ記憶力を向上させることができるのです。

さて、タクシー運転手で一般人よりも発達しているのは、脳の中でもある限られた部位だけでした。マグワイアの研究によると、その脳部位は大脳皮質の内側にある「海馬」とよばれる領域でした。海馬は脳の表面から見えませんので、残念ながら写真1（20ページ）には写っていませんが、「側頭葉」とよばれる大脳皮質のすぐ裏側に位置し、皆さんの耳の奥あたりに左右ひとつずつあります。直径は一センチメートル、長さは一〇センチメートルほどで小さな細長いキュウリのように湾曲した形をしています。海馬に関しては後に詳しく説明しますが、マグワイアは当時、タクシー運転手が海馬を使って空間的なシミュレーションをしていることをすでに発見していました。つまり、海馬は「記憶」を頼りにあれこれと考察するときに使われ、そしてまた、使われることによって海馬が鍛えられ膨らみ、記憶力が増大するという仕組みだったのです。

この発見によって、鍛えさえすれば記憶力は上昇するけれども、鍛えなければ記憶力は増強しないという単純明快な図式が、神経細胞レベルでも明白な事実として浮かび上がってきたわけです。

図１　飼育環境がちがうとネズミは！?

１－７　豊かな環境と豊かな記憶

マグワイアの実験によく似た研究で、ネズミを使って行われたものがあります。それは一九九七年のネイチャー誌に報告された米国の生物学者ゲイジの研究です。**図1**に描かれたような二つの飼育箱を用意します。一方の飼育箱にはハシゴや回り車など数多くの遊び道具を入れてありますが、もう一方は遊び道具がまったくない閑散とした環境です。この二つの箱にネズミを入れて個別に飼育します。つまり、一方のネズミは刺激の多い環境で、もう一方は刺激の少ない環境で育てようというわけです。

こうして、成長したネズミの脳を詳しく調べてみると、なんと、玩具を入れた環境で育てたネズミのほうが、海馬がよく発達していることがわかりました。豊かな環境のネズミのほうが海馬の神経細胞の数が一五％も多かったのです。さらに詳細に調べてみると、神経細胞の「増殖能力」も二倍以上にまで上昇していることがわかりました。神経細胞が鍛えられて活性化したというわけです。おそらく豊かな環境で飼われたネズミは玩具で遊ぶことによって、玩具がないネズミよりも頭脳が刺激されたのでしょう。

さらに驚くべきことには、海馬の活性化はネズミの年齢には関係なく認められました。人でいうと一〇〇歳に達しようかというかなり高齢なネズミでも、神経細胞の増殖力は上昇するのです。しかも、この効果は、刺激の多い豊かな環境に移ってから、ほんの数日もあれば十分に現れます。ネズミのおかれている環境のちがいが、目に見えないところで確実に脳細胞の活性化を引きおこしているのです。

この実験において、注目に値するもうひとつの事実は、こうして育てられた二匹のネズミに、はっきりとした学習能力の差が認められるということです。もちろん、学習能力とはいっても、ネズミはもともと微分方程式を解いたり、株式市場で取り引きしたりするような高い知能をもっているわけではありません。あくまでも、ごく簡単な課題を解く能力に差があったということです。たとえば、二股にわかれた道の一方を選べば餌をもらえるとか、ブザーが鳴ってからすぐにレバーを押せば電気ショックを回避できるとか、そんな簡単なテストです。これでも、ネズミにとっては立派な「記憶」なのです。そうした数あるテストの中で、ここでは英国の実験心理学者

図2　モリスの水迷路

モリスが考案した「水迷路試験」とよばれる方法を紹介しましょう。

1−8　モリスの水迷路試験

水迷路試験はネズミの記憶力を検査する方法としてもっとも有名なテストです。**図2**に示したように、直径二〜三メートルほどのプールに水をはって、その中でネズミを泳がせます。ネズミはもっぱら陸上で生活している動物なのですが、とくに訓練などしなくても水面をスイスイと上手に泳ぐことができます。とはいうものの、やはり泳ぐこと自体は決して好きではないらしく、プールに入れられるとなんとかして逃げる場所を探そうとします。

そこで、プールの中に一ヵ所だけ、ネズミ一匹がかろうじて避難できるくらいの広さをもった浅瀬を作っておきます。すると、生来泳ぎが嫌いなネズミは、この避難場所を一刻も早く見つけてそこに逃げようとします。ここで重要なポイントは、避難場所の浅瀬は水面下にあるので、泳いでいるネズミからは決して見えないということです。つまり、初めてプールに入れられたネズミは、プールのあちこちを泳ぎ回って、手探りで浅瀬を探りあてなければなりません。こんな訓練を一日に数回ずつ一週間ほど繰り返します。しかも、この訓練期間中は、泳ぎ始める位置を毎回変えるというちょっとした意地悪もします。ただし浅瀬の位置はいつもプールの同じ場所にあります。

すると、初めのうちは手探りで避難場所を探していたネズミですが、訓練を続けるにしたがって効率よく避難場所にたどり着けるようになります。つまり、プールのどこに浅瀬があるのかという絶対的な空間位置をネズミが「記憶」するわけです。訓練のたびに泳ぎの開始点がちがうのですから、ネズミにとって、浅瀬を見つけるための唯一の手がかりは、泳いでいるときに見えるプールの外側の景色、つまりプールが設置されている研究室の風景です。ネズミは周囲の景色を参考にしながら、自分の記憶を頼りに避難できる浅瀬の位置を探し当てるのです。これがまさに「水迷路」とよばれる理由です。

初めのうちは浅瀬を見つけるために何分間もかかりますが、数日ほど訓練を積めば、五秒ほどで浅瀬を探りあてることができるようになります。そして、浅瀬にたどり着くまでの時間の推移を測定すれば、ネズミの学習能力を正確に評価することができるわけです。このように、水迷路試験は方法が簡便なわりに明瞭な試験結果が得られるという優れた試験方法なのです。私もネズミの水迷路試験を実際に何度か行ったことがありますが、この試験は優れた実験手法であると同時に、試験を行っている研究者にとっても大変楽しい実験です。とくに、手塩にかけて育てたネズミたちがプールの中で日々奮闘し学習していく様子を観察するのは何とも嬉しいものです。

さて、ふたたび刺激の多い環境で育ったネズミの話です。タクシー運転手の脳と同じように神経細胞の増殖能力が高かったネズミは、水迷路試験を解く学習能力もまた高いことがわかりました。刺激の少ない環境で育ったネズミが五日間かけてようやく覚えた浅瀬の位置を、刺激の多い環境で育ったネズミは、たった二日間で覚えてしまったのです。つまり「記憶力」が増強していたのです。この事実は私たちにふたたび勇気を与えてくれます。この研究結果もまた、記憶力は鍛えることができるということを意味しているからです。しかも、従来は減る一方であると考えられていた神経細胞が、鍛えさえすれば活性化され増殖さえするのです。本人の心がけ次第で、記憶力をよくも悪くもできるのです。とくにネズミを育てた環境のちがいで、神経細胞の活性化の度合いがちがうという事実はとても示唆に富んでいます。私たちも子供を育てるときには、少しこのことを意識してみるとよいかもしれません。そして、もちろん私たち自身も、できれば刺激の多い環境で、常に脳を活気づけることがよいと思います。もしそれが無理であれば、積極的に周囲の出来事に興味をもち感覚のアンテナを巡らせましょう。それはおのずと海馬を活性化させ、記憶力の上昇につながるのです。

1-9　常識と科学

神経細胞に増殖する能力がないということは、かつての神経科学界にとっての常識でした。しかし、海馬などの限られた脳部位では、神経細胞は増殖して数が増えたり、また反対に減ったりすることがわかってきました。

こうした常識を覆すような意外な研究が、科学に大きな進歩を導きます。かつて常識を顧みず地動説を唱和したガリレオは「どうして君は他人の報告を信じるばかりで、自分の目で確かめようとしないのだ」と友人に切々と語ったといいます。研究において一番大切なものは、他人の意見に振り回されない個人の「感性」だということをひしひしと感じさせられます。

二一世紀を迎えたばかりの現在、神経細胞の増殖という現象は世界的にも十分に認知されてきました。いまでは増殖能力のある活きのよい神経細胞を、脳疾患をもった患者に移植して治療に役立てようと研究している科学者もいます。ひとつの新しい発見が、いままさに科学を大きく進歩させようとしているのです。大きく揺れ動く時流の中で脳の研究をしていると、毎日がとても刺激的です。こうした現場に立っている者の立場から、「記憶」についてさらに詳しく話しましょう。

つぎの第2章では、記憶力の鍵を握る「海馬」という脳部位について説明します。

第2章

記憶の司令塔「海馬」

トリブチル錫《すず》（環境ホルモン）により死亡した海馬の神経細胞

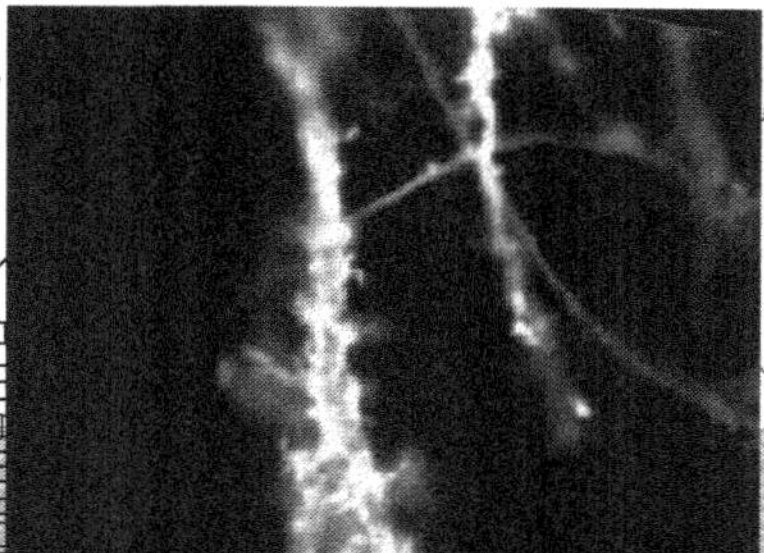

2-1 記憶の不思議

抜けるような碧空《あおぞら》が美しい小春日和のある休日。私はある観光地で、向こうからやってくる二〇代前半とおぼしき青年と目が合いました。どこかで見たことがあるその青年は私に向かって会釈をしています。私も軽く頭を下げて笑顔で応じ、互いに別々の方向に足を向けました。はて、彼は誰だろう。どうしても思い出せません。確かに知っている人なのに思い出せないのです。知人や友人など思い巡らせてみましたが無駄でした。結局、最後まで心にもやもやしたものを残したままこの日は終わりました。

翌日、私は平常どおり大学の研究室に顔を出しました。そして、研究室前の廊下を歩いていたとき、同じ青年にばったりと出くわしたのです。これで思い出しました。じつは、その青年は、私が属している研究棟の同じ階にある研究室の学生だったのです。彼とはとくに親しく話をしたりする関係ではないのですが、しばしば研究棟の廊下ですれちがう、いわばよく知った顔の青年でした。

記憶とは本当に不思議なものです。よく知っている人であったのに、そのときには思い出せなかったのです。逆に、思い出せないのにもかかわらず、出会った瞬間にはその人を「知人」として判断することができるのです。もちろんこの判断は、私自身の過去にまぎれもなくその青年に

どこかで見た気がするのだけれど……

関する「記憶」があるからこそできるのです。

これに近い例は皆さんもきっと経験したことがあるでしょう。私の場合は、大学で再会したことが「手がかり」となって、観光地ですれちがった青年が誰であったかを思い出しました。しかし、ときには手がかりがあまり明確でない場合もあります。たとえば、テストの最中にいくら考えても思い出せなかったことが、その後なんでもないときに、ふと頭に浮かんで記憶がよみがえってくることがあります。その悔しさといったら、とても言葉では表現できないほどです。せっかく勉強して覚えたのに、それが本当に必要なときには思い出せなかったのですから。まったく、記憶とは不思議なものであると身をもって感じる瞬間です。

それにしても、どうして「記憶」はそのように不思議な挙動を示すのでしょうか。そして、「海馬」はどのようにして記憶に関与しているのでしょうか。

2-2 記憶の司令塔「海馬」

海馬が記憶にとって重要な脳部位であるということは、じつは、第1章で述べたタクシー運転手の実験よりもずっと以前から知られていました。海馬の重要性を初めて明確に示したのは米国の神経心理学者スコヴィルとミルナーの一九五七年の報告です。この報告は米国のてんかん患者HM氏のケースを臨床心理学的に詳しく検査したものでした。HMはてんかんの症状がひどく悪化して薬がほとんど効かなくなってしまったため、脳手術をすることになりました。一九五三年、HMが二七歳のときのことです。HMのてんかんは、いわゆる典型的な側頭葉てんかんのひとつでした。彼のてんかんは、大脳皮質の一部である側頭葉のすぐ内側に存在する「海馬」から始まっていましたので、両側の海馬とその周囲をかなり広範に取り除く手術が行われました。

術後はきわめて良好で、てんかんの症状はみごとに改善されました。この時点では、この手術は大成功かと思われました。しかし、復帰後のHMにはとんでもない症状が現れていたのです。それは重度の記憶障害です。HMは、周囲の人の名前も家に帰る道も覚えられませんでした。食事をしても、何を食べたかはもちろん食事をしたことすら忘れてしまいます。その日に何がおこったかをまったく思い出すことができないのです。同じマンガを何度も楽しめたという逸話も残っています。HM自身がこういっています。「毎日はその日一日で終わってしまいます。どんなに楽しいことや、また悲しいことがあってもあとには残らず、いつも夢から覚めたときみたいなのです」と。

それだけではありません。詳しく調べてみると、HMは手術の前におこった出来事ですら思い出せなくなっていました。それは手術前なんと一一年間にも及んでいて、一六歳以降の記憶が障害されていることがわかりました。逆に、一六歳よりも前の記憶はまったく正常に思い出すことができました。新しいことが覚えられないことを、医学用語で「順行健忘」といい、逆に、昔のことを思い出せないことを「逆行健忘」とよんでいます。つまり、HMにはこの両方の記憶障害が生じていたことになります。そして、順行健忘の症状がとくに重かったわけです。

HMは脳研究の検査にとても協力的で、現在に至るまで多くの研究者によってさまざまな側面から研究が行われました。その結果、海馬に関する貴重な知見が得られました。HMに見られる異常は「記憶障害」に限られていることがわかったのです。HMは人格も知覚も完全に正常でした。IQはもっとも高いときで一一八もあり、HMの知能はとても高いレベルに保たれていました。まさに、記憶力だけが失われていたのです。

このHMの報告がなされたあと、一九八六年には心臓が一時的に止まってしまったために海馬の神経細胞だけが死んでしまった患者RBの順行健忘の症例も報告されました。また、実験動物をもちいた研究でも海馬の重要性が確認されて、ますます「海馬」という脳部位が世界で注目されるようになりました。

2－3　進化の歴史が認めた記憶の料理人

海馬はそれほど脳にとって大切な部位ですので、脳の中では深いところに安全に格納されています。ですから、写真1（二〇ページ）のように表から脳を眺めても、海馬は見あたりません。**図3**の脳の写真を見てください。この写真では海馬が見えるように、大脳皮質の一部を取り除いてあります。写真の右側の模式図に灰色で示してある部位が海馬です。このように、海馬は脳の中心近くに置かれることで、外界の傷害から大切に保護されているのです。

さて、この写真には「ネズミ」と「人」の脳が写っています。二つの脳の海馬をよく見比べてください。真っ先に気づくことは、脳全体の大きさに対する海馬の占める割合がまったく異なるという事実です。ネズミでは脳の中で海馬の占める割合は高いのですが、人では大脳皮質が大きく発達していて、海馬をほとんど覆ってしまっています。一般に、生物の進化論上で高等な動物であるほど、大脳皮質が発達していて海馬の割合が小さいことが知られています。しかし、これを裏返せば、進化論的に下等な動物でも海馬はよく発達しているということになります。

人の体のある器官が生命にとっていかに重要であるかということを推しはかるためには、その

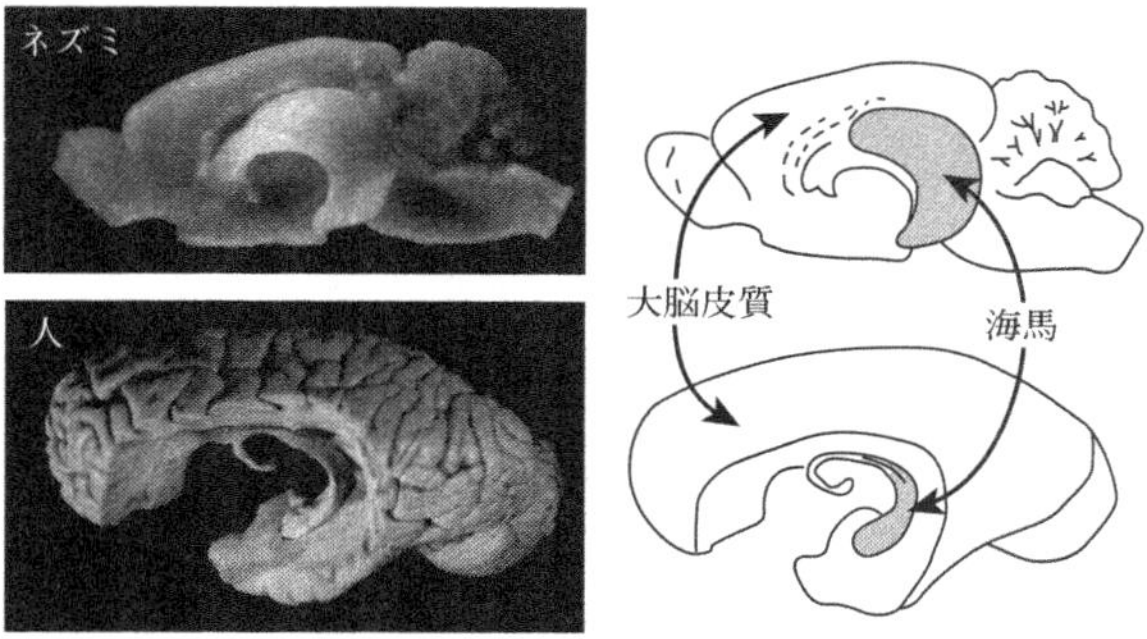

Understanding the brain through the hippocampus, Progress in Brain Reseach Vol 83, 1990, Elsevier

図3　ネズミと人の海馬の大きさくらべ

器官が下等な動物でどれほど発達しているかを調べます。もし生命にとってその器官が本当に必要であれば、下等な動物でも十分に発達しているはずだからです。こうした意味で、古くから発達している海馬は、脳の中でもとりわけ重要な部位であるといえます。

　したがって、人の脳では海馬の占める割合は低いといっても、海馬の重要性が低いというわけではありません。実際、海馬が脳の高次元機能を発揮するために非常に重要な役割を演じていることはＨＭの症例からも明らかです。

　人の海馬には、およそ一〇〇〇万個の神経細胞があると推定されています。人の脳全体の神経細胞が約一〇〇〇億個であることを考えれば、海馬は選りすぐりの神経細胞による少数精鋭の集団であるといえるでしょう。

写真2はＰＥＴ（陽電子放射断層撮影法）とよばれ

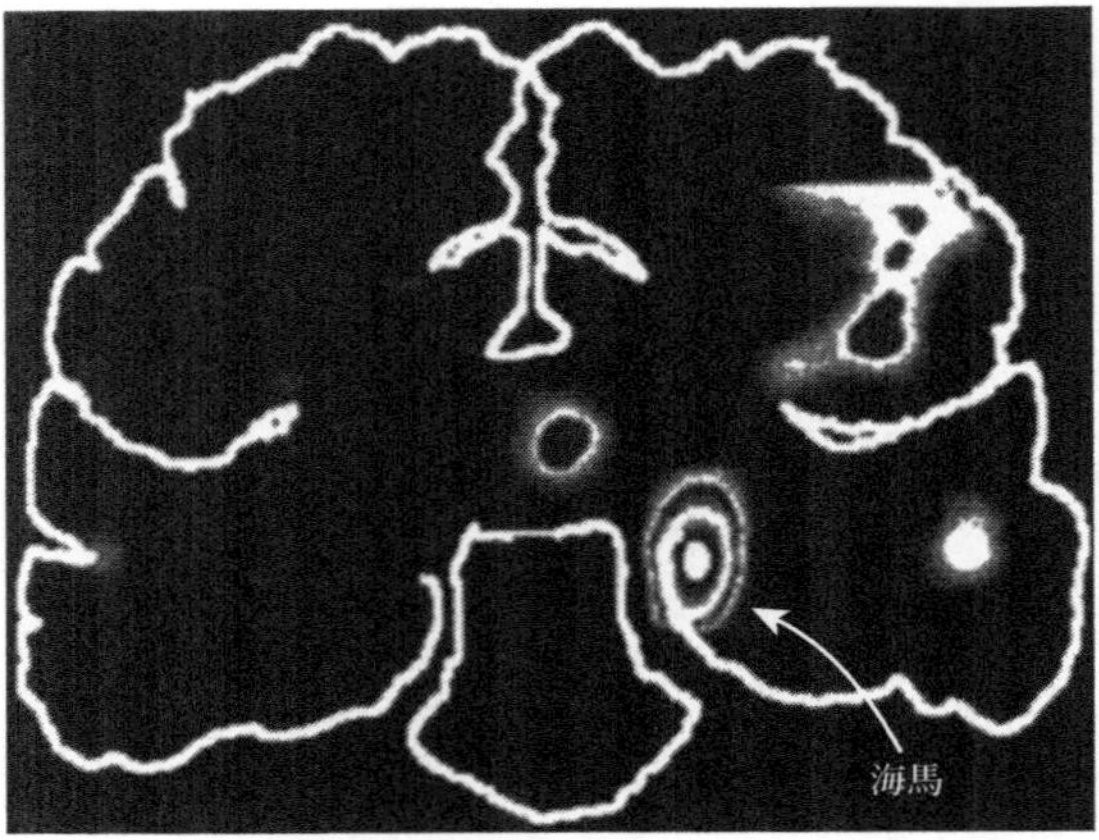

Proceedings of the National Academy of Sciences, Vol 89, 1837-1841, Copyright © 1992 by National Academy Sciences

写真2　記憶時に活動する海馬（PETイメージ）

る医療機器で人の脳の断層面を観察したものです。PETは、体内に微量注入された放射性物質が脳のどこでどのくらい利用されているかを測定する方法で、これを使うと、脳の活動パターンを詳しく調べることができます。この写真では、白くなった部分が活動している脳部位を示しています。

ここでは、被験者にあらかじめいくつかの単語を覚えてもらい、後で手がかりを与えてその単語を思い出してもらうというテストをしています。たとえば、「エンゼルフィッシュ」という単語を覚えさせて、数分後に「エンゼ○○○○○」と書いた紙を見せ、それが何だったかを思い出してもらうのです。写真2はまさに思い出そうとしているときに脳が活動している様子ですが、これを見ると、

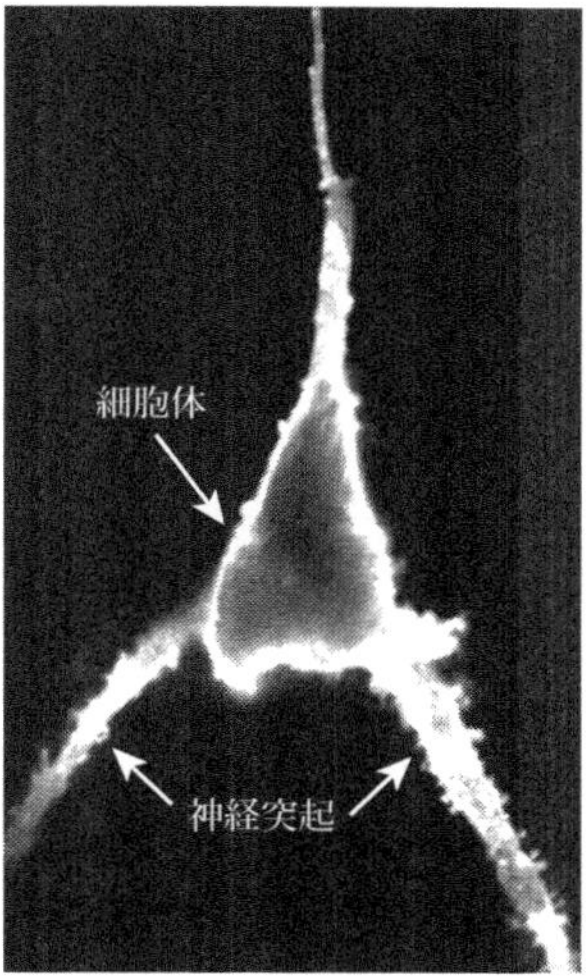

写真3　海馬の神経細胞

右側の海馬が強く活動していることがわかります。記憶を頼りにあれこれ思いを巡らせているとき、海馬の神経細胞は非常に活発にはたらいているのです。この実験からも、少数精鋭の海馬の神経細胞が「記憶」にとっていかに重要かわかってもらえると思います。そして海馬がきちんとはたらかないと、たとえ脳のほかの部分が正常であっても「記憶」ができず健忘症になってしまいます。さきに挙げたＨＭの記憶障害がそのよい例です。

写真3は、私の研究室で撮影した生きている海馬の神経細胞の姿です。共焦点レーザー顕微鏡という特殊な装置で撮った映像です。まさに、この海馬の神経細胞が私たちの脳の中で元気よく活躍していてくれるからこそ、私たちは正常にものごとを覚えることができ

るのです。二五ミクロンほどの大きさしかないこの小さな脳細胞には本当に頭の下がる思いがします。

それでは、海馬の神経細胞は「記憶」においてどのような役割をしているのでしょうか。海馬の神経細胞の役割をひと口でいえば「記憶情報の管理塔」です。さまざまな情報を収集し、それを統合したり取捨選択したりする記憶の司令塔としてはたらいているのです。私はよく海馬を「料理人」にたとえます。海馬は運ばれてきたさまざまな「食材（情報）」を自在に組み合わせて、「料理（記憶）」を作っているからです。つぎに、海馬がいかにして調理をして記憶を作っているのかを観察してみましょう。

2-4 時計回りの金太郎飴？

それにしても「海馬」というよび名は一風変わっています。江戸時代の識者である越谷吾山《こしがやござん》が著した「物類称呼《ぶつるいしょうこ》」という古い書物を繙《ひもと》いてみると、海馬は「タツノオトシゴ」という意味であると記載されています。おそらく、昔の解剖学者が人の脳を詳しく調べたときに、大脳皮質の下にひそむ屈曲した脳部位がタツノオトシゴの尾のように見えたのでしょう。

ただ、せっかく「海馬」などという洒落た名前をもらっていますが、私たちが海馬の勉強をす

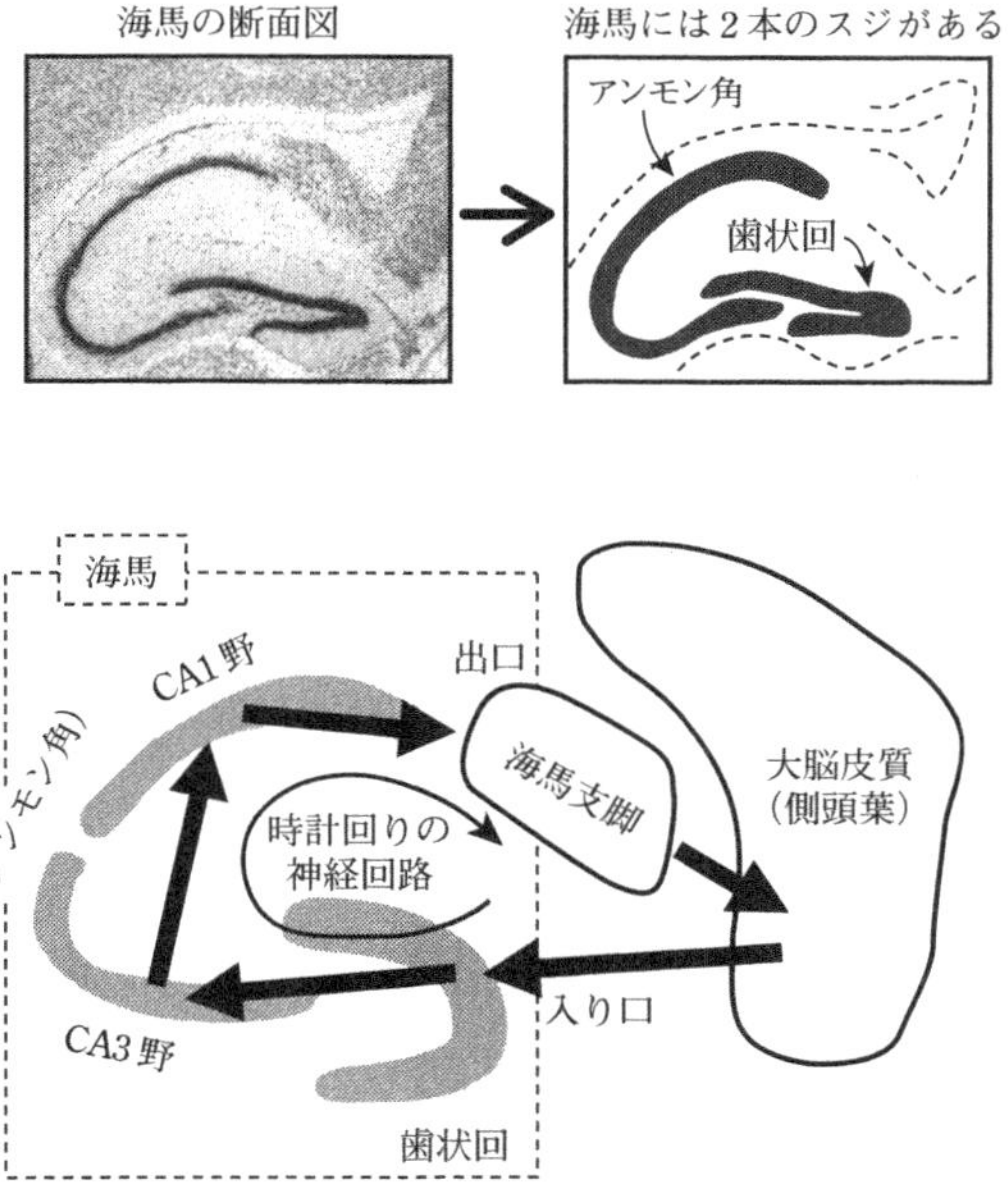

図４　海馬の構造と神経回路

るときには、タツノオトシゴより、むしろ「金太郎飴」を想像してもらったほうが都合がよいでしょう。いびつなU字形をした金太郎飴で、直径は一センチメートルほどです。海馬は金太郎飴のように、どこで切断してもほとんど同じ断面をしているのです。その断面の様子を**図４**に示しました。左上の写真からもわかるように、海馬の断面図をよく観察すると、特徴的な二本の黒いすじが見えます。ちょうど⊂と⊃が互いちがいに組み合わさっているように見えます。

　このすじの実体は、ぎっしりと整列した神経細胞の集まりです。

海馬の神経細胞はこのすじの中にきちんとした列をなして並んでいるのです。そして、⊂と⊃にはそれぞれ名前がついています。⊂のほうを「アンモン角《かく》」、⊃のほうを「歯状回《しじょうかい》」とよびます。脳の解剖学者には、アンモン角のみをとくに海馬とよぶ人もいますが、この本では混乱を避けるためにも、その両者を合わせて「海馬」とよぶことにしましょう。

アンモン角と歯状回にはほぼ同数の神経細胞が存在していますが、この両者に含まれる神経細胞の形や性質は大きく異なっています。アンモン角の神経細胞はピラミッドのようにとがった三角形をしていますので「錐体《すいたい》細胞」とよばれています。一方、歯状回の神経細胞は小さく丸いコロコロとした粒状の形をしていますので「顆粒《かりゅう》細胞」とよばれています。四七ページの写真３をもう一度見てください。ここで示した海馬の神経細胞は三角形をしています。じつはこれはアンモン角の錐体細胞を撮影したものだったのです。

さて、海馬の構造についてさらに細かい説明をしましょう。アンモン角は錐体細胞の性質にもとづいて、さらに四つの部位に分けられます。それぞれ「ＣＡ１野」[*1]「ＣＡ２野」「ＣＡ３野」「ＣＡ４野」とよばれています。この中で重要なのはＣＡ１野とＣＡ３野です。ＣＡ１野とＣＡ３野の二つの領域と歯状回を合わせた三つの部位は、神経線維でつながって連絡網を作りあげています。それを図４の下の模式図で示しました。この神経回路は二〇世紀前半にスペインの組織学者ロレント・ド・ノーによって発見されました。とても単純な神経回路ですから簡単に覚えら

＊1 CA: cornu ammonis

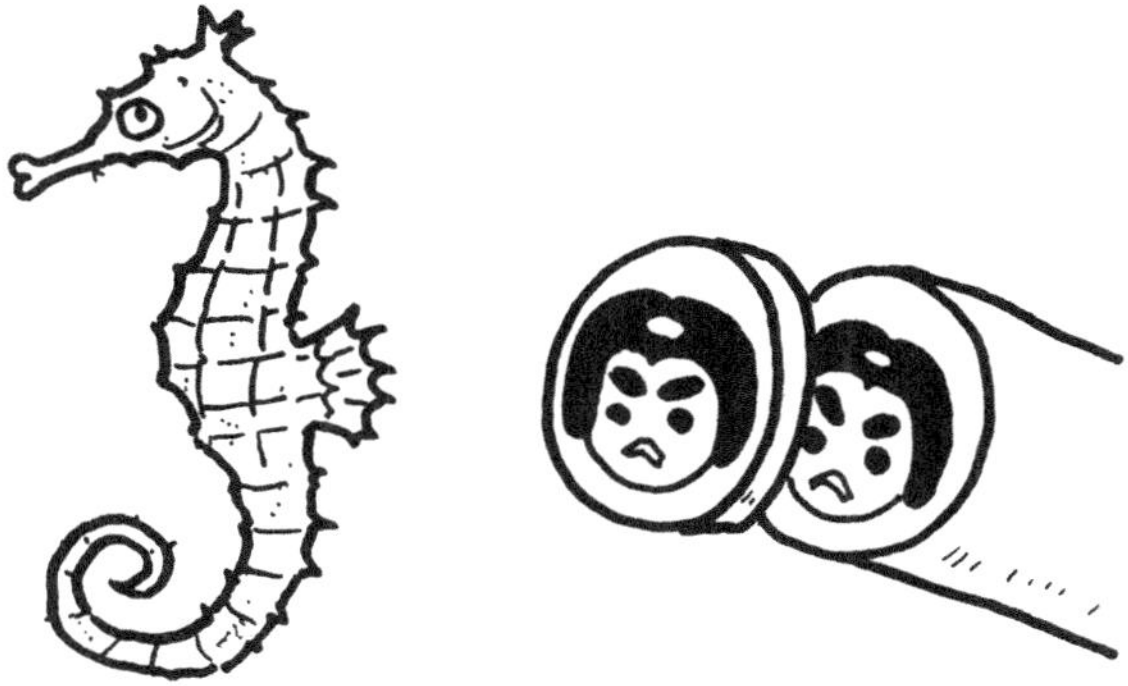

タツノオトシゴ？　金太郎飴？

れるでしょう。

海馬では神経信号の入り口と出口がはっきりとわかれています。入り口の役割は歯状回で、出口の役割はＣＡ１野が担っています。そしてＣＡ３野は入り口と出口をつなぐ中継点の役割をしています。つまり、神経情報はまず歯状回から入って、それがＣＡ３野に送られたのち、最後にＣＡ１野に渡されてから海馬を出ていくのです。この「歯状回」→「ＣＡ３野」→「ＣＡ１野」という三段階にわたる信号のやりとりは「海馬の主要三シナプス回路」といわれていて、脳の研究者にはとても有名な神経回路です。

歯状回が情報の入り口だとすると、いったい、その情報は脳のどこからくるのでしょうか。じつは、その情報は「大脳皮質」から入ってくることがわかっています。しかも、大脳皮質の中でも「側頭葉（嗅内皮質）」とよばれる特定の場所です。側頭葉は、名前のとおり頭の側面にあたり、「ものごと」を認識するために重要な脳部位（写真1、20ページ）です。見たり、聞いたり、触ったり、嗅いだりして得た「ものごと」に関する情報は、処理されながら側頭葉に送られます。その結果、いま目の前にあるものごとを「認知」できるようになります。そして、その情報は引き続き海馬へと送られるわけです。

そうやって海馬に入ってきた情報が歯状回に入り、続いてＣＡ３野、ＣＡ１野へと渡されるわけですが、ここで新たな疑問が生まれます。ＣＡ１野まで届いた情報はつぎにどこにいくのでしょうか。この答えも解明されています。それは海馬支脚《しきやく》とよばれる場所を通過して、ふたたび側頭葉へ戻っていくのです。つまり、側頭葉からやってきた情報は、海馬をくるりと一回りして、ふたたびもときた場所へ帰っていくのです。しかも、その情報の流れは一方通行で、図４の下の模式図（四九ページ）で示してあるようにいつも時計回りにまわります。決して逆回転はしません。必ず「側頭葉」→「歯状回」→「ＣＡ３野」→「ＣＡ１野」→「側頭葉」の順番で信号が流れるのです。

そして、なにより重要なのは、海馬の中ではこのような経路で情報が伝達されるたびに、その入力情報がさまざまな形で処理されたり、統合されたり、あるいはまた削除されたりすることです。海馬に入ってきた情報は、適切な形に整理されてから、ふたたび側頭葉へと帰っていくのです。「料理」のたとえでいえば、海馬に送られてくる情報はあくまでも「食材」であって、海馬で「調理」されて初めて食べることのできる「料理」という形となって、側頭葉に送り返されるのです。もちろん「レシピ」は海馬の神経回路がもっている特性によって与えられます。この「情報の処理」という現象、そしてそれが「神経回路」によって行われるということは、これから後の話を理解するときに、とても重要な概念となりますので、ぜひ、心の片隅に留めておいてください。

2-5　リストラか過労死か

ここでふたたび進化論の話です。じつは、動物の種類によって、海馬の歯状回、CA3野、CA1野という三つの部位の大きさの比率が異なることがわかっています。進化論的に下等な動物ほど「歯状回」がよく発達しています。反対に、進化論的に高等な動物になるにしたがってCA1野が発達してきます。人ではCA1野の割合がかなり高くなります。おそらくCA1野は高次元な脳機能に関係しているのでしょう。逆に、すでに述べたような進化論的な考え方をすれば、海馬の三つの部位の中では、歯状回がもっとも重要な領域であって、もっとも原始的で根源的な役割を担っていると考えられます。

実際、神経細胞が鍛えられて数が増えるという現象は、歯状回に特有のものです。海馬の中で増殖する能力をもっている神経細胞は歯状回の顆粒細胞だけです。顆粒細胞が増えると記憶力が増強するというわけです。歯状回は海馬への信号の入り口ですから、入り口の神経細胞が多いほど記憶力がよくなるということです。要するに、海馬に入ることのできる情報の容量は「記憶力」と深い関係があるのです。

実際に、米国の神経生物学者ラップが二〇〇〇年の神経科学雑誌で発表した研究によると、老化によって記憶力が低下したネズミでは、歯状回のシナプスの数が半数程度にまで減っていることがわかりました。つまり、海馬への「情報入力」ができなくなるために記憶力が悪化したわけです。ちなみに、歳をとっても記憶力が低下していない元気なネズミでは、若いネズミと同じ程度のシナプスを保持しているということです。

さて、歯状回の顆粒細胞は増殖するだけでなく、死んでいくスピードもまた速いことが知られています。顆粒細胞はつぎつぎに生まれ、そして、つぎつぎに死んでいきます。その入れ替わりは非常に激しく、古くなった顆粒細胞は捨てられ、そして新しい顆粒細胞にとって替わられます。驚くべきことに、三、四ヵ月もあれば全部の顆粒細胞がまったく新しい神経細胞に入れ替わってしまいます。子供でも老人も歯状回の神経細胞の入れ替えは盛んにおこっています。

かつての脳科学では考えられなかったそんな例外的な「転生」という現象が、どうして海馬の歯状回だけにおこるのかはいまだに謎です。もしかしたら、それだけ歯状回の神経細胞はとても過酷な仕事を強いられているのかもしれません。ですから、若い神経細胞のほうが活きがいい神経細胞だけをどんどん登用して仕事の効率を上げ、能力の衰えた古い神経細胞を解雇してしまうのかもしれません。また、仕事が過酷で過労死してしまうと考える研究者もいます。だから寿命が数ヵ月と短いのかもしれません。いずれにしても、それだけ一生懸命にはたらいているということは、歯状回がきわめて重要な役割を担っているということにほかなりません。

もうひとつ注意しておきたいのは、増殖のスピードと死ぬスピードのバランスがとても大切であるということです。増殖のスピードがより速くなると歯状回の顆粒細胞は全体として増えて「記憶力」の増大につながりますし、逆に、減るスピードのほうが速くなれば顆粒細胞の全体量は減ってしまいます。このバランスが記憶力の増減の秘密なのです。

2-6　なぜか七個しか覚えられない

海馬の時計回りの神経回路はどのように記憶にかかわっているのでしょうか。これを説明する前に、まず記憶について詳しく説明しなければなりません。

皆さんは「記憶する」という言葉を聞いて何を想像するでしょうか？　テスト直前にせっぱつまって一夜漬けで詰め込む知識でしょうか？　新しいクラスの友達や初めての仕事先で会った人

の顔や名前でしょうか？　見知らぬ土地にきて歩く道の風景でしょうか。人それぞれ記憶に関するさまざまなイメージをもっていることでしょう。実際に、記憶というものは多種多様なものの集まりです。したがって、脳研究において記憶の実体を効率的に解明するためには、こうした雑多な記憶を思い切って「分類」する必要があります。そこで、記憶の種類と分類法について説明しましょう。

まず、記憶はその保たれている時間で分類されます。保持されている期間が短い「短期記憶」と、長い「長期記憶」です。わりと長く覚えていられる記憶と、せっかく覚えてもすぐに忘れてしまう記憶があることは、皆さんもそれとなく気づいていると思います。しかし、ただひと口に長い短いといっても、そのどこに境界線を引くのかは難しい問題です。脳科学の専門家は一般的に、三〇秒から長くても数分程度までの記憶を短期記憶とよび、それよりも長い時間の記憶を長期記憶として区別します。それは、この二つの記憶の使われ方や貯蔵のされ方が明らかに異なるからです。

電話をかけるとき、私たちは電話帳を見ながら電話番号を暗唱してダイヤルします。そして、ダイヤルを回してしまえば、もうその電話番号は忘れてしまうのがふつうです。つまり、この電話番号は脳の中に短期的にしかたくわえられません。これは短期記憶の典型的な例です。

ほかに短期記憶の有名な例としては「暗算」があります。たとえば、（5＋7）÷（4－1）を計算してみてください。おそらく、初めに５＋７を計算して12としてから、つぎに４－１を計算して3とし、最後に12÷３を計算して4という答えを導き出すことでしょう。12という計算途中の答えを導きだしたあと、この12はひとまずおいて、脳はつぎの計算を行います。その後、ふたたび12という数字を記憶から引っぱりだして、最後の計算を行います。すべての計算がすんだ頃には、もう最初の計算である５＋７のことは忘れているのがふつうでしょう。つまり5や7や12は一時的に脳に記憶されているだけなのです。もうその数字が必要なくなればたくわえておく必要がありませんから、その記憶は消去されてしまうのです。このように短期記憶とは必要なときに必要な分を一時的にたくわえるという記憶なのです。こうした短期記憶の例は数え切れないほどたくさんあります。

とはいうものの、私たちは短期記憶を使ってものを無限に覚えることができるわけではありません。一度に記憶できる個数が限られているのが短期記憶の大きな特徴です。その数はおよそ七個です。訓練してうまく覚えれば九個くらいまで記憶することができますが、下手をすると五個くらいしか覚えられないこともあります。いずれにしても短期記憶に関してはあまり個人差がなく、人間が瞬間的に把握して記憶できる対象の数はどういうわけか七個程度なのです。この「七」という数字は、米国の心理学者ミラーが発見したもので「マジカルナンバー７」として知られています。曜日の数は日月火水木金土と七つですし、音階もドレミファソラシと七つです。

短期記憶で覚える電話番号

それからマンガやドラマでもストーリーに絡んでくる主要な登場人物はたいてい七人くらいです。それ以上の数になると人間の頭は混乱してしまうのです。

電話番号でも似たようなことがあてはまりますが、ここでは少しおもしろい現象が観察されます。電話番号は市外局番を除けば八桁以内です。これはもう短期記憶の限界に近い桁数です。したがって、市外局番まで入れてしまうと、たとえば53-9046-7281のように一〇桁になってしまい、覚えるのが困難になります。しかし、途中に入る「-」が短期記憶を助けてくれるのです。「-」がないと、5390467281となって、短期記憶の範囲を完全に超えてしまいますが、数字の羅列の途中に「-」を入れて韻リズムを作ると、「53」

「9046」「7281」という大きく三つのグループができ、短期記憶の容量内に収まるのです。グループ化によって記憶容量が増えるというわけです。このようにグループを作ってものを覚えることを専門用語で「チャンク化」といいます。私たちが普段から知らず知らずにやっているちょっぴり高度な記憶術です。

さて、電話番号は電話をかける直前に短期記憶によって脳にたくわえられますが、親しい友人や恋人などに毎日のように電話をしていると、そのうちに電話帳を見なくてもダイヤルできるようになります。この場合は「長期記憶」となります。ひとたび、長期記憶が形成されると、消失するスピードはかなり遅くなります。数時間、数日、数ヵ月、数年、ときには一生忘れないで脳に保存される記憶もあります。一般に、意味のない数字や文字の羅列は忘れるのが早く、反対に、衝撃的な事件の現場風景など印象深かったシーンは長期間にわたって覚えていられるものです。

いずれにしても、短期記憶にくらべれば、長期記憶はかなり長い時間にわたって保持されていることには変わりありません。あえてコンピューターにたとえれば、短期記憶はＲＡＭに、長期記憶はハードディスクに保存されるメモリーといえるでしょう。おそらく、皆さんが「記憶」といって真っ先にイメージするのは短期記憶のことより、むしろ長期記憶のほうだと思います。

2－7　思い出せないのに記憶？

長期記憶はさらに数多くのタイプに分類されます。たとえば、いま皆さんに、過去のことでよく覚えているものは具体的に何ですかと聞いたら何を思い出すでしょうか。小学生の頃の運動会で一等賞をとったこと、好きな人に告白したけれどフラれたこと、受験に合格したときのこと、友達と大げんかしたこと。もちろん人それぞれでしょう。しかし、たいていの場合は、いつどこで何をしたという過去の自分の経験や出来事に関連した記憶であると思います。いかにも記憶らしい記憶です。こうした記憶のことを「エピソード記憶」といいます。

しかし、長期記憶はこれだけではありません。経験とはあまり関係のない「知識」もまた長期記憶です。ワシントンはアメリカの初代大統領であるとか、エンゼルフィッシュは熱帯魚であるとか、ペンギンは飛べないとか、あの交差点を左に曲がるとガソリンスタンドがあるといったような、経験や出来事ではなく、もっと抽象的な記憶である「知識」です。このような記憶のことを「意味記憶」といいます。

エピソード記憶は一九七二年にカナダの心理学者タルビングによって、意味記憶は一九六六年に米国の心理学者キリアンによって分類されましたが、この二つの記憶の区別はとても重要です。先ほど私が「何でもいいから過去のことを思い出してください」といったときに、皆さんは

これは，エピソード記憶？　それとも意味記憶？

自分の過去の経験（エピソード記憶）を思い出したはずです。おそらく、「ワシントンはアメリカの初代大統領である」（意味記憶）を思い出した人はいないでしょう。このように、エピソード記憶は意識して思い出すことができますが、意味記憶は何か特別なきっかけが与えられないと思い出すことができないのです。

この章の冒頭で、私は青年と観光地で出会ったことを述べました。これは私の「エピソード記憶」です。そのときの様子も覚えています。その日は空が美しい小春日和でした。多くの人でにぎわっていました。帰りには、たい焼きを買って食べました。けれども、半分も食べないうちに地面に落としてしまって悔しい思いをしました。そんな具合に、エピソード記憶には自分の経験が常に付随していて、しかも、それを自分で意識して自由に思い出すことができます。これはエピソード記憶の典型的な性質です。

一方、意味記憶も過去にたくわえられた記憶のはずですが、意識的に思い出すということはあまりありません。意味記憶を引き出すためには、ほとんどのケースで「きっかけ」が必要です。たとえば、「ワシントンは誰？」と聞かれて初めて「アメリカの初代大統領だ」と思い出すことができるのです。天気のよい休日に公園を散歩していたら突然「ワシントンはアメリカの初代大統領である」と思い出したなどという妙な経験をすることはほとんどありません。また、仮に、きっかけが与えられて思い出したとしても、そこに自分の経験が関連していることはありません。

つまり、意味記憶とは、自我（意識）が介入しない抽象的な記憶なのです。実際、ワシントンがアメリカの初代大統領であるという事実は、自分の経験とはなんら関係ありません。意味記憶のように自己が介入しない記憶のことを「潜在記憶」とよびます。これに対して、思い出すことに自分の経験が付随して意識にのぼる記憶のことを「顕在記憶」といいます。エピソード記憶は顕在記憶の典型的な例です。

しかし、ここまで話して「おや？」と思う読者もいるかもしれません。人によっては「ワシントンはアメリカの初代大統領である」と思い出したときに、「これは小さい頃、近所のおじさんに教えてもらったんだよなあ」などと個人の経験が絡んでくる場合もあるからです。しかし、この場合は意味記憶ではなくエピソード記憶として思い出していることになります。そういう意味で、エピソード記憶と意味記憶の境界線は曖昧なようにも思えます。しかし、つぎのように考えてください。

たとえば、かつて私は、高校時代の先輩であるJリーグの名ストライカー、ゴンこと中山雅史選手がフランスのワールドカップで日本初得点を決めるシーンをテレビで見ていました。ビールを飲みながらの気楽な観戦だったのですが、ゴールが決まったときは興奮して涙が出そうになりました。翌日もまだ興奮さめやらぬ自分がいました。いま私がこうして何年か前のことを思い出しているときはエピソード記憶としてよびだしています。しかし、これから、何年か経ち、テレビ観戦していたときにビールを飲んでいたということを忘れてしまい、そして興奮していた自分の様子も忘れてしまって、単に「中山選手はワールドカップで日本チームの初得点を決めた」ということだけが記憶に残ったら、それは意味記憶としてよび出されることになるのです。意味記憶は「知識」だと述べましたが、どんな知識でも初めはなんらかの状況のもとで脳にたくわえられたはずです。その状況が消えてしまい知識だけが残り意味記憶となっていくのです。

意味記憶は潜在記憶ですので「きっかけ」がないと思い出せません。私は観光地で出会ったその青年が誰であるのかをどうしても思い出せませんでした。つまり、これは、その青年が私にとって意味記憶だったわけです。逆に、いまではあのとき会った学生をいつでも思い出せますので、むしろエピソード記憶として記憶されています。つまり、エピソード記憶と意味記憶は、経験と時間によって、そのどちらにも変わりうるのです。

一般に、思い出したくても出てこないとか、度忘れしたというのは意味記憶に対して頻繁におこります。テスト中にどうしても答えが思い出せなかったというのは、その記憶が意味記憶だったからなのです。テスト勉強で頭に詰め込む知識はふつう意味記憶ですから、これを思い出すためにはきっかけが必要です。「ワシントンは誰？」と聞かれて「アメリカの初代大統領」と答えることはできるのですが、そのきっかけが不十分だと思い出せずに、度忘れという現象が生じてきます。ときには「教科書のあのページに書いてあったのだけどなあ」というエピソード記憶が混じり、これがきっかけとなって思い出すこともあります。

一方で、同じ内容でもちがった聞き方をされると思い出せないこともあります。たとえば、先ほどの質問とは逆に「アメリカの初代大統領は誰？」と聞くと、答えられない人の割合が増えるのはよい例です。とにかく、思い出すためには「きっかけ」がとても重要な要素なのです。そして、これは意味記憶に顕著な性質です。

ここまで話せば、テストの点数を上げるためには、どうすればよいかもうわかったと思います。簡単なことなのです。意味記憶ではなくエピソード記憶として脳にたくわえてやればよいのです。しかし、この話は第6章にまわしましょう。

2-8 勘違いも記憶!?

長期記憶にはエピソード記憶と意味記憶があることを説明しましたが、米国の心理学者コーエンとスクワイアによって、さらに二種類の長期記憶が発見されました。これらの長期記憶はともに、私たちが通常は意識しないで自然に覚えているものですので、「記憶」といってもピンとこないかもしれません。つまり潜在記憶です。

たとえば、私たちは服を着たり脱いだりできます。これは生まれたばかりの赤ん坊のころにはできなかったことですから、いままで生きてきた時間のどこかで、いつのまにかその方法を「記憶」したことになります。そしていままでは、とくに意識することなく服を着たり脱いだりできます。スポーツでもそうです。初めからうまくできる人などいません。何度か失敗を繰りかえしているうちに自然に上達してくるのです。

しばしば「体で覚える」という言葉が使われますが、こうした記憶もやはり長期記憶の一種です。もちろん、実際には体が覚えているのではなく、脳が記憶していることはいうまでもありません。このような記憶を「手続き記憶」とよびます。この記憶は、歩いたり、箸《はし》を使ったり、タイプライターを打ったり、ドリブルシュートをしたり、と普段はなにげなく行っている行動にとても重要なはたらきをしているのです。エピソード記憶や意味記憶が「What is」として説明できるのに対して、手続き記憶は「How to」の記憶だといってもよいでしょう。専門的には、前者を「陳述記憶」、後者を「非陳述記憶」とよびます。

さて、残るひとつの記憶ですが、これは「プライミング（入れ知恵）記憶」とよばれています。他の記憶とはちがって、説明するのが少し難しい概念です。実際、プライミング記憶が発見されたのは一九八〇年代のことで、それ以前には存在すら知られていなかったのです。そこで、プライミング記憶について説明する前に、簡単な実験を行ってみましょう。まず、つぎの文章を読んでみてください。これは、アメリカが生んだアニメヒーローである「ポパイ」と、ポパイが食べる「ほうれんそう」に関する内容です。

ポパイが恋敵のブルートをなぎ倒すさまは我々に心地よい快感を与えてくれる。ポパイがブルートより圧倒的に体格が劣っているため、さらに我々の同情感を誘う。ほうれんそうを食べて怪力になり、それまではまったく歯が立たなかったブルートから逆転勝利を収めるなじみのパターンも見ている者に安心感を与える。さて、ポパイの力の源であるほうれんそうが実際に高い栄養価をもつことは周知の通りであるが、このアニメの影響力は絶大で、当時ポパイを見ていた成長盛りの子供たちが積極的にほうれそんうを食べるようになったということが報告されている。

なんの変哲もないこの論説ですが、いまこれを読んだ皆さんの脳には、プライミング記憶の形跡を見ることができるかもしれません。この文章中には「ほうれんそう」という言葉が三回出てきました。しかし、お気づきでしょうか。三回目に出てきたときには、それは「ほうれんそう」ではなく、まったく意味をもたない文字の羅列である「ほうれそんう」という言葉が書かれているのです。皆さんの中には気づかずにうっかり「ほうれんそう」と読んでしまった方もいることでしょう。これは、皆さんがこの文章は「ポパイとほうれんそう」の内容であるとあらかじめ意識しているから、それに近い単語を勝手に都合よく解釈してしまったのです。つまり「ほうれそんう」という無意味な単語を読むときに、以前に出てきた「ほうれんそう」という言葉を記憶していて、自分の意識よりもその記憶のほうがさきに文字を認識してしまうのです。このように無意識に行われてしまう記憶をプライミング記憶といいます。

この例に限らず、私たちも普段の生活で、ちょっとした「勘違い」というものがあると思いますが、そのほとんどがプライミング記憶の結果なのです。こう書くと、まるでプライミング記憶は悪玉のような気がしてきますが、もちろん、そんなことはありません。プライミング記憶を使えば「ほ・う・れ・ん・そ・う」とわざわざ一文字一文字を認識しながら読む必要がなくなるので、すんなりと「ほうれんそう」と読むことができるのです。プライミング記憶は、見えているものの解釈や、自分のおかれている状況の判断などを迅速にするために重要な役割をしているのです。

少し話が複雑になってしまいましたので、ここで一度まとめてみましょう。記憶には「短期記憶」「長期記憶」がありました。そして、長期記憶はさらに細かく「エピソード記憶」「意味記憶」「手続き記憶」「プライミング記憶」と分類されます。簡潔にまとめるとこうなります。

I. 短期記憶　三〇秒～数分以内に消える記憶、七個ほどの小容量

II. 長期記憶

- i. エピソード記憶　個人の思い出
- ii. 意味記憶　知識
- iii. 手続き記憶　体で覚えるものごとの手順（How to）
- iv. プライミング記憶　勘違いのもと？　サブリミナル効果

この五つの中では、「短期記憶」と「エピソード記憶」は個人的に意識のあるレベルで記憶されている「顕在記憶」なので、意識的に思い出すことができます。また、逆に残り三つの「意味記憶」「手続き記憶」「プライミング記憶」には自分の意識は介在しませんので「潜在記憶」となります。

こうした記憶の分類法は、米国の心理学者スクワイアによって提唱されたもので、現在では「スクワイアの記憶分類」とよばれ、もっとも一般的な記憶の分類方法となっています。それでは、これらの記憶についてもう少し詳しくお話ししましょう。

2-9　記憶は歴史の階層

人の記憶に関して、米国の心理学者のコリンズとキリアンが行ったおもしろい実験があります。たとえば、代表的な観賞用熱帯魚であるエンゼルフィッシュについて簡単な質問をします。何でもよいのですが、解答者が答えられるような簡単な質問が効果的です。

エンゼルフィッシュは泳ぎますか?

答えはもちろんイエスです。そこでつぎの質問をします。

エンゼルフィッシュは呼吸しますか?

質問です。エンゼルフィッシュは泳ぎますか？

この答えもイエスです。こんなあたり前のことを聞くなんて人をバカにするなと怒られそうです。

この二つの質問はともに、解答者が脳にたくわえている意味記憶を引き出しています。しかし、それにもかかわらず、質問してから答えるまでの時間を測定してみると、「泳げますか？」と聞くよりも「呼吸しますか？」と聞いたほうが返答までに長時間を要することがわかります。同じ意味記憶であるにもかかわらず、答えを出すまでの時間が異なるのはなぜなのでしょうか。

どうしてそうなるのかは、この二つの質問に答えた皆さんならば気づいたと思います。「エンゼルフィッシュは泳ぎますか？」と聞かれたとき、ほとんどの人はまず「エンゼルフィッシュは魚の仲間だ」と考えます。そして「魚は泳ぐ」と考えます。だから「エンゼルフィッシュは泳ぐ」という結論を導き出します。つまり、「エンゼルフィッシュは泳ぎますか？」と聞かれて答えを出すまでに、この三つのステップを踏んだ典型的な三段論法を一瞬のうちに頭の中で行っているわけです。

それでは「エンゼルフィッシュは呼吸しますか？」と聞かれたときはどうでしょうか。ほとんどの人は「エンゼルフィッシュは魚の仲間だ」と考え、つぎに「魚は生き物だ」と考えます。そして「生き物は呼吸する」と考えて、最後に「エンゼルフィッシュは呼吸します」という答えにたどり着くことでしょう。つまり、「泳ぎますか？」と聞くよりも「呼吸しますか？」と聞いたほうが、解答にたどり着くまでのステップが多くなっているのです。このステップ数の差が、若干ながら返答時間の遅れにつながったというわけです。

この事実は、同じエンゼルフィッシュに関する記憶だからといって、すべてが同じような形で脳に保存されているとは限らないということを示しています。同じ意味記憶であっても、どれも同じレベルで脳に記憶されているわけではなく、この例のように「エンゼルフィッシュ」「魚」「生物」というようにいくつかの階層にわかれて保存されているのです。そして、別々の階層の情報が互いに結び合わさりネットワークを形成して、エンゼルフィッシュというひとつの「概念」を作りあげているのです。そうした階層の異なる記憶を何段階かに分けて引っぱりだすから、思い出すときに時間のちがいが生まれてくるわけです。

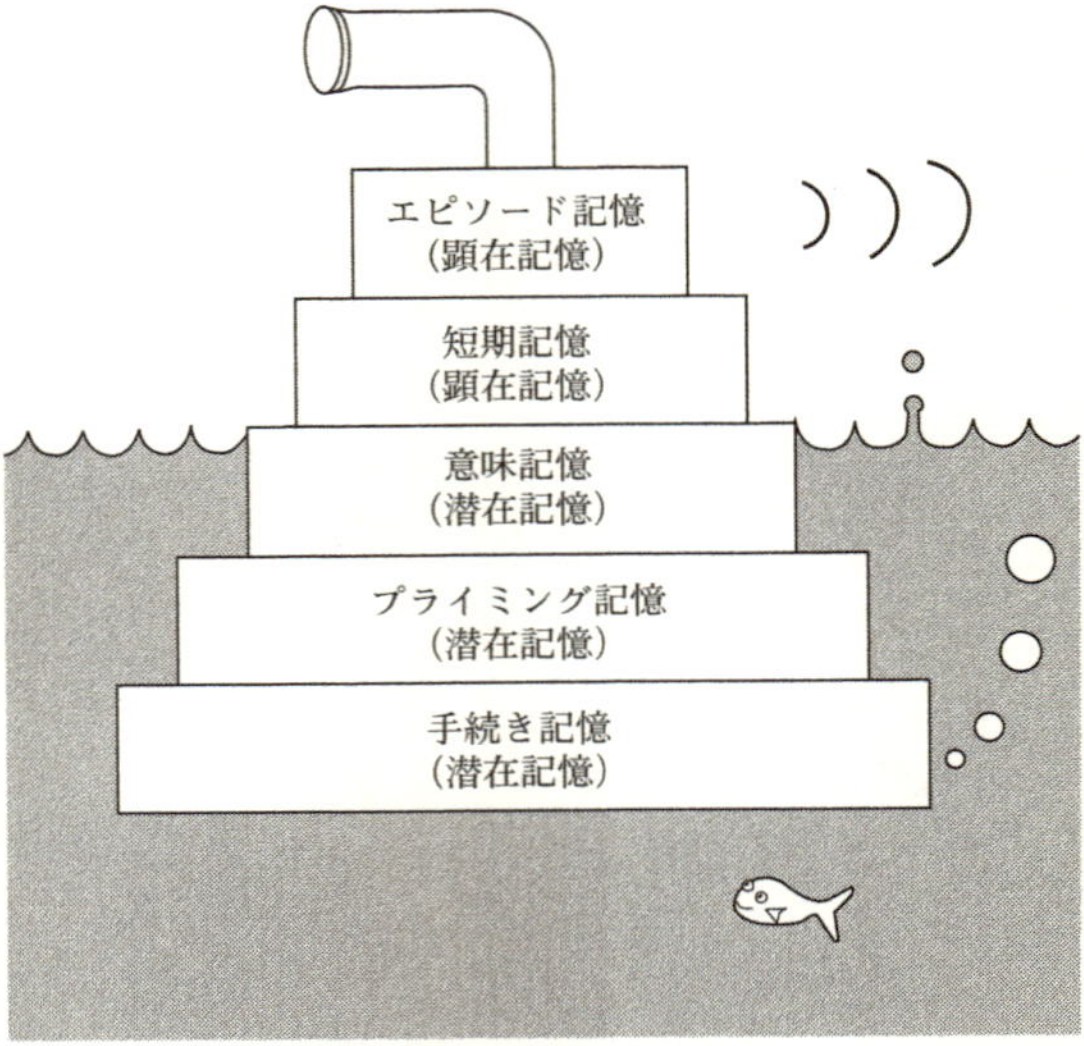

図5　記憶の階層システム

記憶が「階層」にわかれているという考え方はとても重要で、この考えは意味記憶だけでなく、その他の種類の記憶にもあてはまります。そして、これまでに説明してきた五種類の記憶もまた互いに階層を作りあげています。これはカナダの心理学者タルビングによって提唱された「記憶システム相関」という考え方です。その階層を**図5**に示しました。一番下の階層が「手続き記憶」で、その上に「プライミング記憶」、続いて「意味記憶」「短期記憶」、そして最上段に「エピソード記憶」があります。下の階層であるほど、原始的な、つまり、生命の維持にとってより重要な記憶であり、上の階層に行くほど高度な内容をもった記憶になります。

この階層は生物の進化の過程をよく表しています。進化論上で下等な動物ほど下の階層の記憶がよく発達しています。反対に、高等な動物ほど上の階層の記憶が発達してきます。京都大学の松沢哲郎は、チンパンジーの短期記憶の能力が人間にかなり近いレベルであることを二〇〇〇年のネイチャー誌に報告しています。もちろん、人間は他の動物にくらべて、最上階の記憶であるエピソード記憶をたくわえる能力が高いことはいうまでもありません。

また、この階層は人間の成長過程にもあてはまります。子供から大人になるにつれて、もっとも早く発達するのが手続き記憶、つぎがプライミング記憶、意味記憶、短期記憶、いちばん遅れて発達するのがエピソード記憶です。生まれてから三、四歳のころまでの記憶がないという現象は、皆さんも自分自身の体験として気づいていることと思います。これは「幼児期健忘」という現象で、エピソード記憶の発達が遅れていることが原因です。実際に、一〇歳くらいまでは意味記憶がよく発達していて、その歳をすぎるとエピソード記憶が優勢になってきます。

逆に、歳をとると記憶力が衰え健忘をきたす人がいますが、この場合は階層の上の記憶から消失していきます。まず、エピソード記憶の能力が衰えると「置き忘れ」など日常的な行動を忘れ、ひどい場合には「今朝食事した」などの経験すらも忘れてしまいます。これは痴呆症の初期的な症状のひとつです。さらに症状が進んで、意味記憶まで失われると、自分の身内が誰なのかわからなくなります。それでも、最深層の手続き記憶は比較的よく残っています。服を着たり、歩いたり、箸を使ったりといった記憶はなかなか失われないのです。

2-10 海馬は何を記憶するのか？

記憶がこのように階層をなしているということは、それぞれの記憶のメカニズムが異なっているということを意味しています。とすると、この五つの記憶の中で「海馬」が関与しているものはどれでしょうか。この答えはふたたびＨＭの研究が教えてくれます。

手術で海馬を切除したＨＭが順行健忘を示したことはすでに述べました。ＨＭはその日に何がおこったかをまったく思い出せないのですから、少なくとも「エピソード記憶」に重度の障害があることは明らかです。しかし、まったくものを覚えられないわけではないことが、その後の研究でわかってきました。

ＨＭに鏡を見ながら文字や図形を書くという作業を行ってもらいました。皆さんも実際にやってみるとわかりますが、鏡に映った手の動きは左右逆さまになりますから、文字や図形を書くということはかなり難しい課題になります。にもかかわらず、ＨＭは三日ほどの訓練で上達してうまく書けるようになりました。これはふつうの人とほとんど同じ上達スピードです。この課題はいわゆる体（手）で覚える手順ですから「手続き記憶」のテストです。つまり、ＨＭの手続き記

鏡像図形の描写は「手続き記憶」

憶の能力は正常であったのです。もちろん、ＨＭにはエピソード記憶がありませんから、鏡像描写の訓練をしたということはまったく覚えていません。それにもかかわらず書くという技術だけは上達するのです。

このようにさまざまなテストや課題をＨＭに与えてさらに詳しく検査した結果、ＨＭにはエピソード記憶と意味記憶の能力だけが欠けていることがわかりました。つまり、海馬は「エピソード記憶」と「意味記憶」に深く関係した脳部位であったのです。私たちが日常的に使っている意味でのいわゆる「記憶」らしい記憶は、まさに海馬によって管理されているわけです。初めて会った人の顔を覚えたり、家に帰る道順を覚えたり、麻雀のパイの読み方を覚えたり、テストのために知識を詰め込んだり、そんなときに海馬はとても重要なはたらきをしているのです。

ちなみに、最近の研究によれば、「短期記憶」と「プライミング記憶」は大脳皮質で、「手続き記憶」は線条体（大脳皮質の裏にある基底核とよばれる部位）や小脳で主に作られているようです。運動能力（手続き記憶のひとつ）は、とくに小脳と密接な関係があると考えられています。実際に、小脳がもっともよく発達した動物は鳥類ですが、大空を自由自在に飛びまわる鳥の飛翔能力が、抜群な運動神経に支えられていることは想像に難くありません。

ところで、HMの症例から、皆さんは、もうひとつの重要な海馬の性質を知ることができます。HMは今日何をしたということを覚えていませんが、一一年前よりも過去のことは正常に覚えていて、完全に思い出せるのです。実際に、HMは新聞や雑誌もふつうに読めますし、人と会話することもできます。つまり、過去に覚えた文字や言葉などは正常に思い出すことができるわけです。さらに、過去一一年以内のこともまったく忘れているのではなく、一部の出来事や知識についての記憶が残っていることがわかりました。これらのことは、とても重要な事実を示しています。つまり、海馬がなくても思い出すことができるのです。海馬は「記憶する」ことには重要ですが「思い出す」ことには必要でないというわけです。

これはとりもなおさず、記憶は海馬の中に保存されるわけではないことを物語っています。つまり、海馬で作られた記憶は、海馬以外の場所に貯蔵されていると考えられるわけです。実際に、HMの研究以降、多くの研究が行われ、現在では、海馬は記憶を一時的に留めはするものの、最終的には海馬以外の場所に保存されることが確認されています。そして、海馬に記憶が留まっている期間は長くても一ヵ月程度にすぎないと考えられています。その時期をすぎたら、記憶は他の場所に移り、そこに長期的に貯蔵されるのです。それでは、記憶は最終的に脳のどこに保存されるのでしょうか。

2-11 記憶の倉庫

「記憶は脳のどこに存在するのか」ということに関しておもしろい実験があります。それは、いまから五〇年ほど前に、カナダの神経外科医ペンフィールドによって行われた伝説的な研究です。ペンフィールドはてんかんの専門医でした。当時はまだ現在のような優れたてんかんの治療薬がありませんでしたので、治療には外科的な手術がほどこされていました。てんかんは脳の一部の神経細胞が異常に活動してしまうために生じる病気ですから、その異常な神経細胞を取り除いてしまえばてんかんは治るという考えにもとづいた治療法です。

ペンフィールドは、てんかんの発生地点となっている神経細胞を探すために、脳を電気刺激しました。つまり、発生地点の神経細胞が刺激されれば、患者は発作のときと同じ状態になるはず

側頭葉を電気刺激すると……
昔の記憶がよみがえる
ペンフィールドの実験

だと考えたわけです。この手術では、患者に麻酔をかけず、鎮痛薬だけを与えて痛みを抑えた状態で行われました。つまり、患者の意識はまったく正常なまま頭蓋骨を開いて、露出した脳に「針（電極）」を刺して通電するという難易度の高い手術を行ったのです。そして、この治療法はペンフィールドの努力により有効であることが確認され、その後、約一〇〇〇人もの患者がペンフィールドの治療を受けました。

ところで、ペンフィールドはこのような治療をこなす過程で、なんとも奇妙な現象を発見しました。脳のある部分が刺激されると、患者がかつて見たことのある風景を思い出したり、知っている歌の一節や子供の声などが鮮やかに聴こえたりすることをペンフィールドは見出したのです。もちろん、実際には、患者の目の前にはただの実験室の風景が広がっているだけですし、音楽も流れてはいません。にもかかわらず、脳を刺激された患者は、あたかも自分の過去をふたたび体験しているかのように感じたのです。ペンフィールドがそのときに刺激した場所は「側頭葉」でした。つまり、記憶は取り出すことのできる完全な形で側頭葉に貯蔵されていたわけです。

医療の進歩した現在では、てんかんの治療にこのような荒っぽい検査がもちいられることはまずありません。そうした意味でも、五〇年も昔のペンフィールドの研究ノートは現在でも貴重な資料となっています。しかし、逆にそれほど昔の実験ですので、ペンフィールドの研究には精度の点で、いくぶんかの問題があると指摘する研究者もいます。たとえば、当時の装置では電気刺激の強さを精密にコントロールできないので、どれほどの範囲の脳部位が刺激されているのかわかりません。さらに約一〇〇〇人の患者のうち過去の記憶がよみがえる経験をしたのは約四〇人ほどで、その確率の少なさも後の研究者により指摘されています。しかし、問題は多いものの、側頭葉を電気刺激すると記憶が強制的に引きだされるという発見は十分注目にあたいします。その後、サルをもちいた研究でも、記憶の保管場所が「側頭葉」にあることが確認されました。

記憶が側頭葉にたくわえられているという事実はとてもおもしろいことです。もう一度、図4（四九ページ）を見てください。海馬に入ってくる信号は「側頭葉」からやってきます。そして、その情報信号は処理され統合され整理されながら、海馬の中をくるりと時計回りに一周して、ふたたび「側頭葉」に帰っていくのです。側頭葉からきた情報は、海馬に一ヵ月ほど留まってから、ふたたび側頭葉へと戻されるわけです。海馬に入ってくる情報は見たり聞いたり感じたりしたものなどの総合情報です。この情報が海馬で適切に調理されたのち、ふたたび海馬から取りだされるのです。そして、取りだされた情報が記憶として保存されるのです。

海馬は記憶すべきものを「取捨選択」して、記憶の貯蔵庫に送りだしていると考えられています。海馬とはいわば「情報のふるい」です。記憶の仕分け屋といってもよいでしょう。私たちも日常生活で気づかないうちに、「記憶するもの」と「記憶しないもの」を分類しています。見えるもの、聞こえる音、触れているもの、嗅いでいる匂い、感じる味、こういったことすべてをもれなく記憶することはまずありえません。記憶すべきことだけを選んで効率的に記憶します。こうした仕分けを脳で行うのが海馬の仕事なのです。逆にいえば、海馬のはたらきを十分に理解すれば、私たちは意識的に記憶力をコントロールできるということになります。このことは第6章で詳しく解説します。ここでは、入力された情報は海馬に一ヵ月ほど留まり、その中で記憶すべき情報が、海馬から側頭葉に送られるのだということを理解しておいてください。

2-12 「運命」を刻む海馬

これまで見てきたように、海馬は記憶の鍵を握るとても重要なはたらきをしています。まさに記憶の司令塔です。こうした理由から、海馬は脳の中でもとりわけ研究者の興味を引き、さまざまな側面から数多くの研究が行われてきました。そうした多くの話題の中から二つの重要な発見を取りあげます。「θ《シータ》波」と「場所ニューロン」です。

θ波は「脳波」の一種です。脳波としては「α《アルファ》波」や「β《ベータ》波」などがよく知られています。とくに脳がリラックスするとα波を出すということから、α波を出させるようなクラシック音楽や落ち着いた空間が体や精神の健康によいともてはやされています。同じように、θ波も脳波の一種なのですが、α波ほどは一般に知られていないようです。θ波は主に海馬から発せられる脳波で、一秒間に五回くらいの周波数（五ヘルツ）で規則正しくリズムを打つ特徴をもっています。この周波数のことを「θリズム」といいます。

とはいっても、海馬はいつもθ波を出しているのではなく、特定のときにだけθ波を発生します。もっとも顕著にθ波が現れるのは、新しいものに出会ったり、初めての場所にいったりして、あれこれと探索しているときです。いままでに出会ったことのない初めてのものに遭遇すると、海馬はθ波を出して活動します。そして、目の前にあるものごとを海馬は記憶しようとするのです。θ波は記憶しようという意志の表れです。

反対に、飽きたりマンネリ化したりなど気持ちが散漫になってしまっては、θ波は発生しません。興味をもってものごとを見つめ考えるときにのみθ波が出るのです。つまらない勉強のこと

θリズムは生命の律動!?

よりも、興味あるもののほうがよく覚えられることは、私たちもしばしば経験します。これは海馬がθリズムでどれほど活動したかが関与しています。ですから、記憶力を高めたければ、覚えたいものに興味をもってθ波を発生させ、海馬をより強く活動させるよう心がければよいのです。

ベートーベンが作曲した交響曲「運命」の冒頭「ジャ・ジャ・ジャ・ジャーン」というフレーズはとても有名ですが、この初めの三つの音「ジャ・ジャ・ジャ」という部分はほぼθリズムです。もちろんこの作曲家の活躍した時代にはθ波などは知られていませんでしたが、それでもこの曲のθリズムは人間の根底に流れる生命の力強さを感じさせます。

2-13 海馬は地図!?

一九七〇年代は海馬の研究が大きく進歩した幕開けの時代です。この先陣を切ったのは英国の脳科学者オー・キーフが一九七一年の脳研究誌に発表した研究です。オー・キーフは、ネズミの海馬に細い電極を刺し、アンモン角の錐体細胞の活動を記録しました。そして、ネズミを部屋の中で自由に行動させ、この神経細胞がどう活動するかを詳しく調べました。すると、ある神経細胞はネズミがある特定の「場所」にいったときにだけ活動し、また別の神経細胞は別の特定の「場所」にいったときにだけ活動することがわかりました。つまり、錐体細胞はネズミのいる場所に反応して活動するわけです。

この神経細胞は、空間のある特定の位置を記憶していて、ネズミがその場所にいくと神経活動を始めるのです。このような神経細胞を「場所ニューロン」とよびます。ある場所ではある場所ニューロンが、また別の場所では別の場所ニューロンが活動するという具合です。**図6**に場所ニューロンを記録する実験方法を示しましたが、この実験を行っている実験者は、動き回るネズミを見ていなくても、場所ニューロンの反応をモニター上で観察していれば、いまネズミがどこにいるのかをみごとに言い当てることができます。それほど場所ニューロンは整然とした活動パターンを示すのです。そして、ネズミ自身もまた、海馬の場所ニューロンの活動パターンを通じて自分がいまどこにいるのかを把握していると考えられて

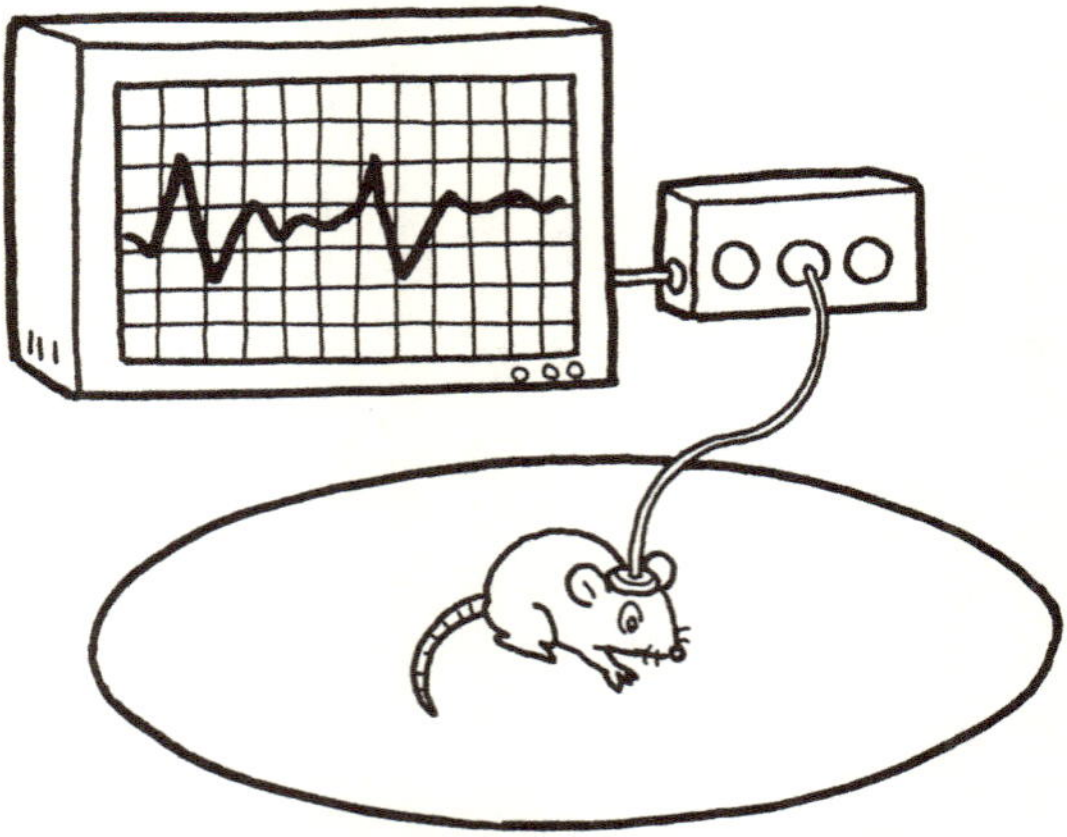

図6　海馬の活動を記録する

います。

場所ニューロンにはとても重要な性質があります。それは、場所ニューロンの活動は「場所」という情報のみに影響されるということです。ネズミの体がどちらを向いているかは関係ありません。この事実はとても重要なことを意味しています。つまり、いま見えている景色や風景は場所ニューロンの活動には基本的に無関係であるということです。とにかくその場所にさえいれば、それに対応した場所ニューロンが活動するのです。要するに「場所」という抽象的な概念に反応するのです。

たとえば、部屋の電気を消してしまって真っ暗闇の状態にしても、手探りで自分がその場所に来たならば、やはり場所ニューロンは同じような反応を示します。したがって、目の不自由な人にも場所ニューロンはあります。目が見えない人でも、部屋のどこに机があって、どこにベッドがあって、どこが出入り口かということは把握しています。海馬の場所ニューロンは目に見えているものだけで場所を判断しているのではなく、総合的な「感覚」を使って場所を判定しているのです。海馬の中には場所ニューロンで描かれた綿密な「地図」があり、その地図を使って「現在地」を確かめているというわけです。

場所ニューロンは海馬だけにしかありません。このことから、場所ニューロンの発見当時、海馬は「空間概念」に関係した記憶にとりわけ重要であると考えられました。たとえば、ネズミが水迷路で浅瀬を探しその場所を覚えるような記憶です。人でいうならば、どこに何があるという情報、道順の記憶、立体図形の想像、絵や文字の描写などに海馬が重要であろうと考えられていました。この考えはもちろん間違いではありません。しかし、その後の研究で、海馬には場所だけでなく音や匂いにも反応する神経細胞が存在することが明らかになりました。現在ではむしろ、目・鼻・手・耳・舌などのさまざまな感覚の情報が海馬に入力され、そこで統合されていると考えられています。これらの情報は個人の経験を作りあげるために必要な材料です。いつ、どこで、何を見て、何を聞き、何を感じたかといった材料を総合的に関連づけて「経験」という記憶を作るのです。この経験こそが「エピソード記憶」になるのです。

2-14 子供には海馬がない!?

この章を終わる前に、最後にひとつおもしろい話をしましょう。海馬の中でも歯状回の顆粒細胞には分裂して増殖する能力があることはすでに述べました。ふつうの神経細胞は生まれたときがもっとも数が多く、歳をとるにしたがってどんどん減っていくのですから、神経細胞が増えるという特徴は、海馬の歯状回ならではの独特な性質です。

しかし、歯状回にはもうひとつ特別な性質があります。それは、生まれたときの脳では歯状回はまだ完成されていないということです。歯状回は主に生まれたあとに作られるのです。なぜなのかということはあまりわかっていません。おそらく脳の中では、呼吸をしたり体を動かしたり食事をしたり排泄したりと生命にとってより重要な機能が胎児のときに先に作られて、「記憶」のような、生存にとって有用な能力ではあるけれど絶対に必要であるというわけではない機能の完成は後回しにされているのでしょう。

いずれにしても、海馬の完成していない乳幼児には、海馬を必要とする記憶はうまくできません。海馬がほぼ完全な形になるのは、だいたい二歳から三歳くらいであると考えられています。じつは、これが、幼児の頃にはエピソード記憶ができないという幼児期健忘の原因なのです。

ネズミの歯状回も生まれたあと、およそ二週目から三週目にかけて完全に形成されます。そして、やはり人の場合と似たようなことがいえます。この時期をすぎると、ネズミは親から離れ、巣の周囲を歩き回り始めるのです。おそらく、空間的な記憶力が完成して、自分の意志で自由に動き回ることができるようになるのでしょう。

ちなみに、カナダの精神神経学者ミーニイが二〇〇〇年のネイチャー神経科学誌に発表した研究によると、親に毛づくろいをしてもらうなど、愛情を一身に受けて育ったネズミの子は、海馬がより豊かに成熟し、記憶力のよいネズミに育つそうです。人間の子育てにも通じるため、思わず考えさせられてしまう実験結果です。

また、フランスの心理生物学者アブラスが二〇〇〇年の米国立科学アカデミー紀要に報告した研究によれば、暗い巣の中を一日二時間ほど照明で照らすなどの方法で、妊娠中のネズミに精神的なストレスを与えると、生まれてくる子供の顆粒細胞の増殖率が悪くなってしまうそうです。しかも、気の毒なことに、この子ネズミは大人になってからも、ふつうのネズミより海馬のはたらきが弱く、一生、記憶力が劣ったままなのです。つまり、母親のちょっとしたストレスが、子供の一生に多大な影響を与えてしまうわけです。この結果もまた、私たち人間の生活に対してとても深い示唆を与えています。

育児中の母親や、妊婦のストレスが子供にとってよくないことは、誰もがそれとなく気づいている事実だとは思いますが、これらの研究が、皆さんのそうした直感を、実質的なレベルで明快に説明してくれているのです。

同様に顆粒細胞の増殖を研究している世界の脳科学者たちは、さまざまなおもしろい研究結果を提示しています。たとえば、軟らかいものばかり食べていると顆粒細胞の増殖能力が減ってしまうという実験結果はよい例です。「硬いものをしっかり噛んで食べると頭全体に刺激が与えられるため、頭脳によい影響を及ぼすだろう」と従来から漠然といわれていましたが、現在では、その機構が顆粒細胞の研究を通して具体的にわかってきました。同様に、一人孤独で過ごすよりも、社会に出て積極的に他人と交わったほうが神経細胞がよく増殖するという報告も、私たちの日常生活を考えてみれば十分に納得できる結果です。ちなみに、この研究によると同性よりも異性と接したほうが増殖率が高かったということです。

その他に顆粒細胞の増殖を高める因子として、適度に体を動かすこと（ランニングなど）や軽いダイエットなどが知られています。反対に増殖を低下させる因子としては、過度の飲酒、心身へのストレスや麻薬などが挙げられています。皆さんもこれらの実験結果を参考にして、脳によい生活を送るよう心がけてみるとよいかもしれません。

これまで見てきたように、海馬にはほかの脳部位にはない独特な性質が備わっています。これは、海馬が脳にとってそれだけ特別な部位であるということの証です。海馬は記憶のために特別に進化した重要な機関であって、そのような特殊な能力が与えられているからこそ、高度な機能を発揮することができるのです。まさに、海馬は記憶のための特殊装置なのです。

それでは、海馬の神経細胞は、実際にどのようにして記憶を作りだしているのでしょうか。この本では、これからミクロなレベルの記憶の話へと入っていきます。

第3章

脳とコンピューターはどちらが優秀なのか？

海馬の神経細胞（部分）：電子顕微鏡写真

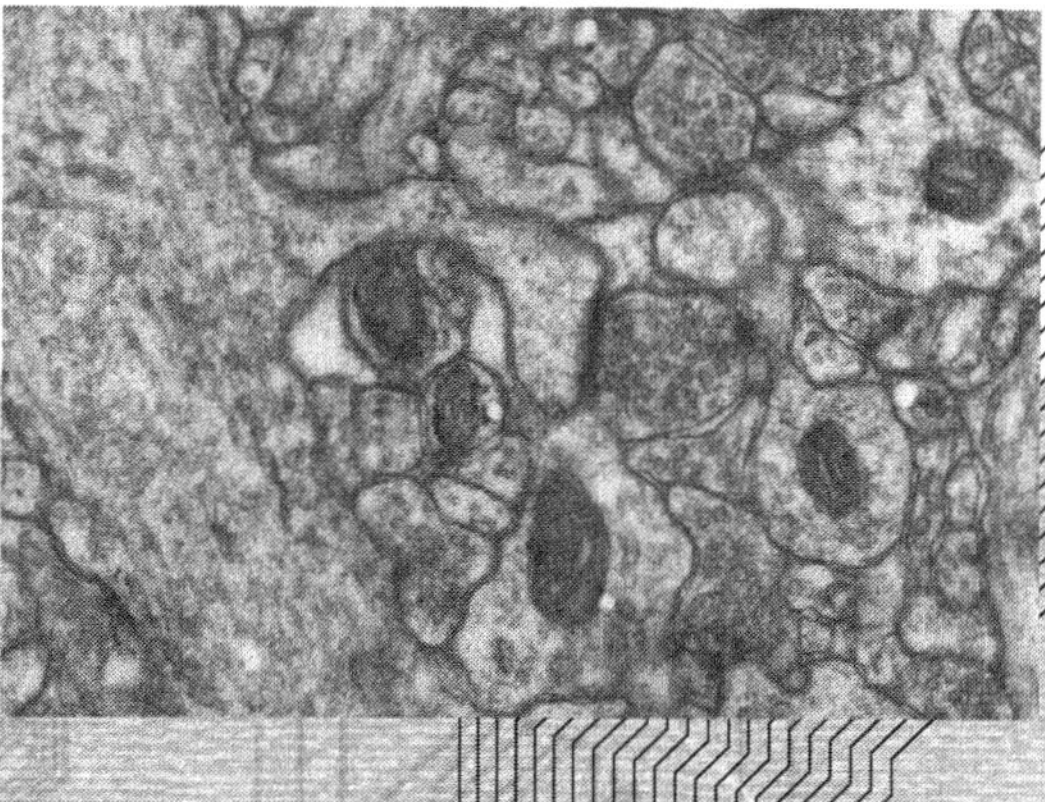

3−1　ネットワークを作る神経細胞

この章ではミクロな「記憶」の話をより理解してもらうために、ぜひ知っておいてほしい神経細胞の性質についてまず説明します。神経細胞について知識のある方は、この章は飛ばしてもらってかまいません。

ところで、なぜ神経細胞のことを特別に詳しく説明しなければならないのかといいますと、神経細胞には、体のほかの細胞とは異なる特殊な性質が備わっているからです。もちろん、「細胞」と名のつく以上は、ＤＮＡや核やミトコンドリアなど細胞にとっての基本的な構造物はふつうに備わっています。しかし、神経細胞には「神経突起（神経線維）」とよばれる、他の細胞にはない独特の構造があるのです。細胞から糸のように伸びた線維のことです。じつは、神経細胞の性質を特殊にしているのは、この神経突起です。

写真4は神経細胞を撮影したものです。ここには神経細胞がひとつだけ写っていますが、よく観察しますと、ＤＮＡや核などが含まれている「細胞体」から、写真の右上の方向にひとすじの糸が伸びているのが見えます。これが「神経突起」です。じつは、この写真の細胞は、私の研究室で培養したネズミの海馬の神経細胞です。もちろん、神経細胞は通常では脳の中で活動しているのですが、この写真のように、シャーレやフラスコの中で人工的に育てることもできます。世

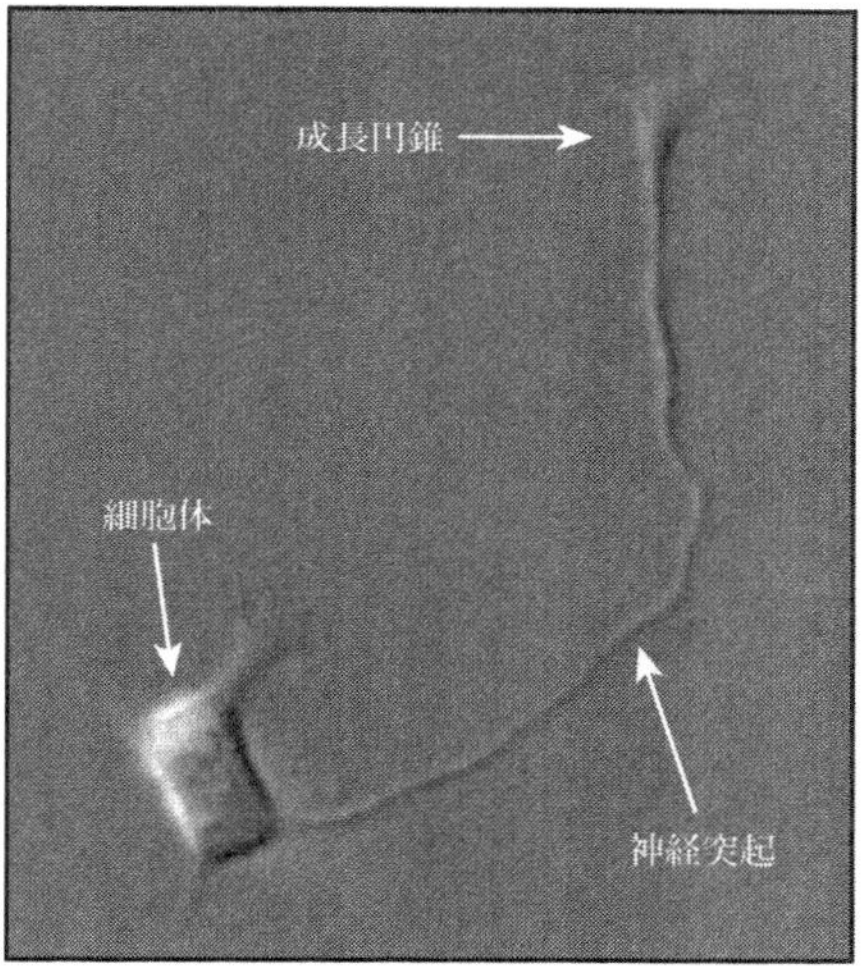

写真4　培養した海馬の神経細胞

話も比較的やさしく、経験を積めば誰でも簡単に神経細胞を飼うことができます。

培養した神経細胞を観察していると、すべての神経細胞が必ず神経突起を伸ばすということがわかります。例外はありません。どんな動物のどんな種類の神経細胞でも必ず神経突起をもっています。つまり、神経細胞には生まれながらにして神経突起を伸ばすという性質が備わっているのです。逆に、その性質こそが神経細胞であることの証であるともいえます。

それでは、なぜ神経細胞は突起を伸ばすのでしょうか。それは自分の仲間を探すためです。写真4のように一個だけ取り残された神経細胞は、必死になって仲間の神経細胞を探しまわります。神経突起の先端には「成長円錐」とよばれる独特な構造があります。この写真をよく見ると、線維の先端がちょうど手を広げたような形をしているのがわかると思います。その「手」はアンテナの役割をしていて、どちらの方角に仲間の神経細胞がいるかを感知することができます。昆虫の触角のようなものです。そのアンテナを使って、神経細胞は仲間のいる方向へと効率よく神経突起を伸ばすことができるのです。

こうして神経細胞の培養を続けていくと、ついには仲間と出会い、神経細胞は互いに神経線維で結びつくことができます。**写真5**左に神経線維で結合しあった神経細胞の写真を載せました。二つの神経細胞が写っています。神経細胞が伸ばす神経突起は一本とは限りません。むしろ神経細胞一個あたり数本の神経突起をもっていることがふつうです。この写真はシャーレの上で一週間ほど培養したものですが、数日もあれば神経細胞はこのような「神経回路（ネットワーク）」を作りあげることができます。神経細胞がシャーレ上でみるみるうちに突起を伸ばし、緻密で精細な神経回路を築いていく、そのたくましい生命力には本当に惚れぼれとします。

これと同じ現象は、もちろん、皆さんの脳の中でも実際におこっています。ただし、人の脳には約一〇〇〇億個にも及ぶ大量の神経細胞がぎっしりと詰まっていますから、その現象はシャーレで観察されるものよりもずっと複雑です。すでに述べたように、平均するとひとつの神経細胞はおよそ一万個の仲間と神経線維で密接に結びついているといわれています。想像してみてくだ

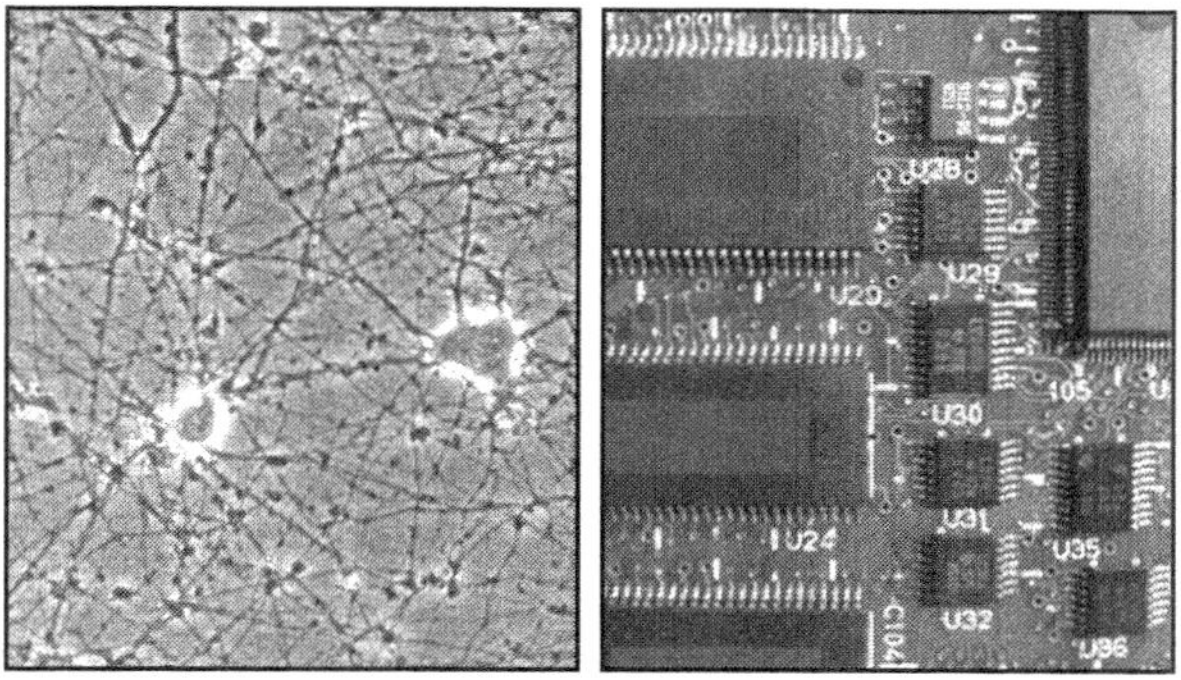

写真5　神経回路と電気回路

さい。私たちの脳には、一万個の神経回路が約一〇〇〇億個もあるのです。気が遠くなりそうな量です。そして、こうした複雑で精密な神経回路を使い、私たちは感じたり、想像したり、記憶したりといった多彩な行動を行っているのです。

3-2　神経回路と電気回路

写真5右はコンピューターの集積回路を撮影したものです。コンピューターはいうまでもなく、人類が英知を結集して生み出した、いわば現代文明の宝珠です。膨大な情報を処理したり蓄積したりといった、人の脳と同じような複雑な作業を、猛烈な速さで行うことができます。もちろん、これはコンピューターに内蔵された複雑な電気回路によって行われています。脳が神経回路を使っていることとなんとなく似ています。

実際、神経回路と電気回路にはいくつかの共通点があります。たとえば、回路を流れる情報はどちらの場合も「電気」です。読者の皆さんの中には「神経回路には電気が流れているの？」と不思議に思う人もいるかもしれません。しかし、私たちの普段の生活の中でも「神経信号は電気なんだなあ」とまざまざと感じさせられる瞬間があります。

たとえば、冬にセーターを脱いだときにおこる不快な静電気です。ビリっとしびれたように感じるのは、静電気が神経線維に流れ込んで「神経信号」として脳に伝えられたからなのです。静電気よりもさらに電流が強くなると、たとえば家庭用電源などに感電したときには、自分の意識とは無関係に手足が動いてしまうことがあります。これは、本来なら手足を動かせという命令を伝えるための神経回路に電流が流れ込んで、脳の指令とは関係なく手足が動いてしまった結果なのです。こうした事実からも、神経回路の信号は「電気」であることを実感してもらえると思います。

しかし、同じ電流とはいっても、神経回路と電気回路では、流れる電気の実体は異なります。電気回路では流れるものは「電子」ですが、神経回路では「イオン」なのです。主に金属イオンである「ナトリウムイオン」が流れることで電気信号が伝えられています。さらに、神経回路と電気回路では電気の伝わる様式もまたかなり異なります。**図7**に示したように、電気回路では電線に沿って電子が流れますが、神経細胞ではナトリウムイオンが細胞（神経線維）の外側から内

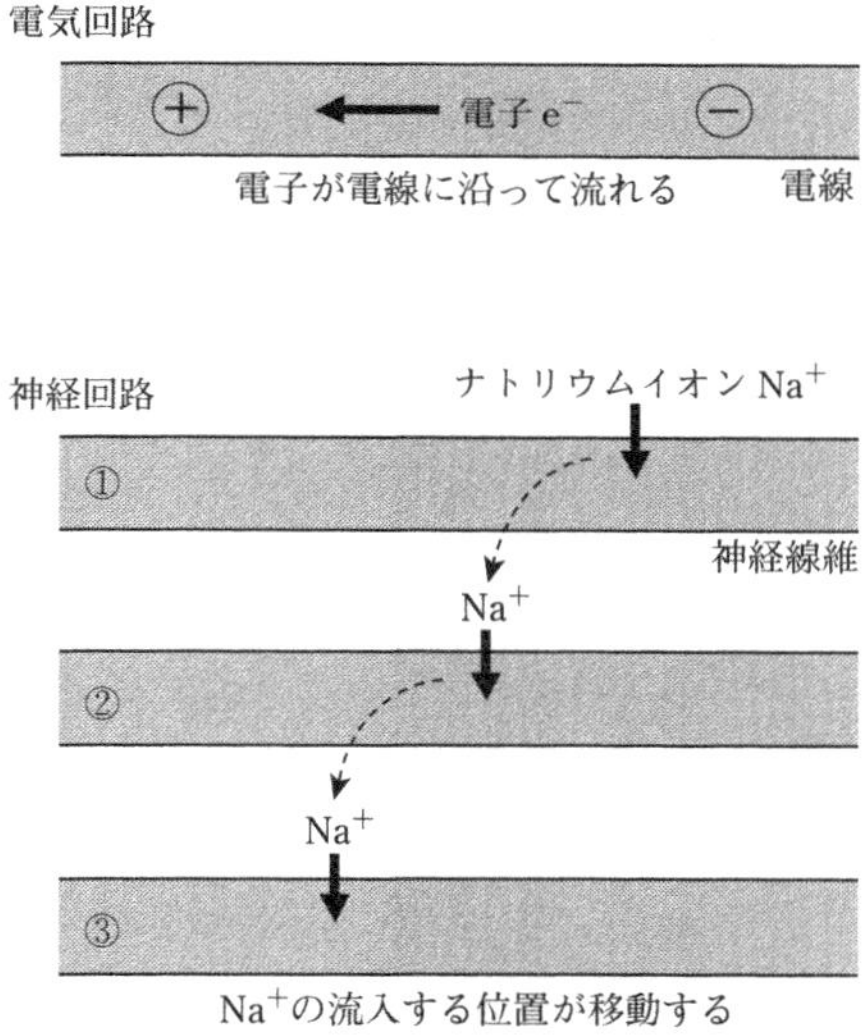

図7　神経回路と電気回路を流れる信号のちがい

側に向かって流れます。そして、この現象が進むべき方向に伝播《でんぱ》していくのです。ちょっと変わった仕組みのように思えますが、この仕組みは人間の脳だけではなく、ほかの動物、昆虫や軟体動物にいたるまで、すべての神経細胞に共通したメカニズムなのです。おそらく長い自然淘汰の過程で培われた、生物にとってもっとも都合のよい電流の発生のさせ方だったのでしょう。

それにしても、神経細胞は電流の実体として、数あるイオンの中から、なぜナトリウムイオンを選んだのでしょうか。進化の初期過程の動物はすべて海で生活していました。海水中にもっとも多い金属イオンはナトリウムイオン（塩分）です。神経細胞がナトリウムイオンを選んだ理由は、おそらく、それがもっとも豊富なイオンとして利用しやすかったからなのでしょう。逆に、ナトリウムイオンによる電気信号は、生命がまさに「海」で芽生えたことを象徴しています。「生命の母」といわれている海ですが、こんなところにもその〝足跡〟が残っているのが生物のおもしろい側面です。

さて、ここで覚えてほしい用語があります。まず、ナトリウムイオンが細胞外から細胞内にどっと流れることで生じる電位の変化を「活動電位（神経インパルス）」といいます。これによって神経細胞が電気的に興奮します。また、この活動電位が図7に示したように神経線維に沿って伝わっていくことを「伝導」といいます。脳では、複雑に張り巡らされた神経回路の中を、活動電位が縦横無尽に走り回ってさまざまな情報を伝えています。活動電位は神経細胞が互いに会話をするための言葉なのです。活動電位を発見した英国の生理学者シェリントンとエイドリアンは一九三二年、そして、活動電位の実体がイオンの流れであることを詳細に解明した英国の生物学者ホジキンとハクスレーは一九六三年にノーベル生理学・医学賞を受賞しました。

彼らの偉大な業績に引き続いて、神経細胞の信号はさらに詳しく解析されました。現在では、神経線維にはナトリウムイオンを選択的に通す穴が無数にあることがわかりました。この穴は「チャネル」とよばれていて、タンパク質からできています。総分子量がなんと三〇万にも達する巨大なタンパク質です。そして、このチャネルは自在に開いたり閉じたりすることができます。

細胞の外に満たされた液体（体液）の成分は、海のイオン組成とよく似ています。汗や涙を舐めると塩辛いことを思い出してもらえれば想像がつくと思いますが、細胞の外側には海水と同じようにナトリウムイオン（塩分）が多量に存在しているのです。ですから、チャネルが開くと、ナトリウムイオンが濃度勾配にしたがって、細胞内にどっと流れ込むことになります。

図8に、ナトリウムチャネルが開閉するメカニズムを示しました。かつての脳科学者たちは、チャネルが開いたり閉じたりするときには、チャネルの穴にフタをつけたり外したりするか、もしくは、穴の直径を大きくしたり小さくしたりするかのどちらかであろうと考えていました。しかし、ごく最近の研究から、チャネルの開閉のメカニズムについて驚くべき真実が明らかになりました。正解はどちらでもなかったのです。つまり、チャネルの内側の壁には四本の棒が平行に装備されていて、その棒がクルリと回ることで開閉することがわかったのです。

四本の棒には、それぞれプラス極に帯電した部分があります。チャネルが閉じている状態では、そのプラス極の側面が、穴の内壁に露出されています。そして、このプラスの電荷によって、ナトリウムイオンのプラス電荷を電気的に反発して、ナトリウムイオンの流入を妨げているのです。逆に、開いている状態では、棒がクルリと回転して、プラス極の部分が壁の内側に隠れます。したがって、ナトリウムイオンは電気的な反発を受けることなく、自由に流れることができるのです。こうした巧妙なメカニズムで、タイミングよくチャネルが一〇〇〇分の一秒ほど開

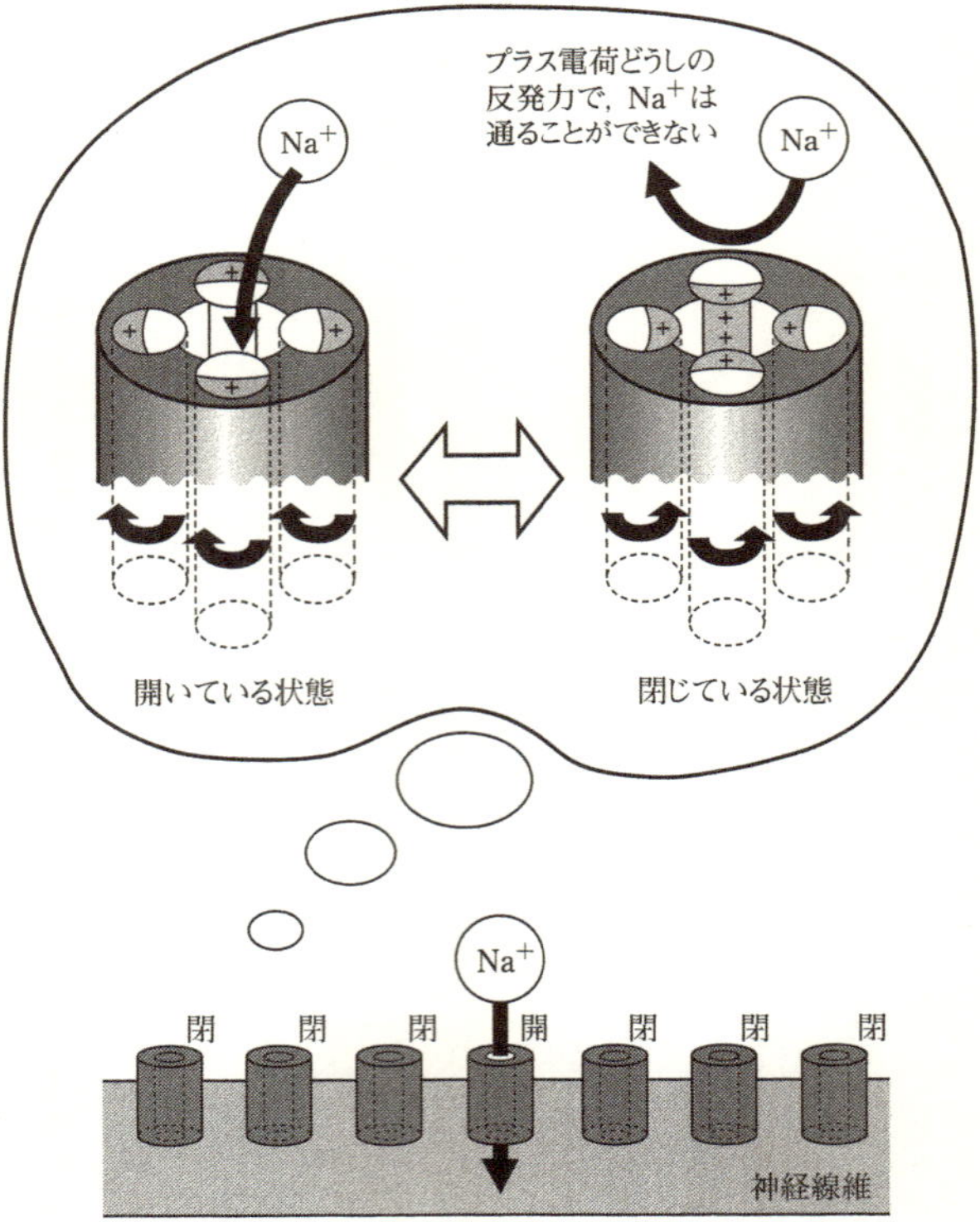

図8　ナトリウムチャネルの開閉のしくみ

くことによって、うまい具合に「活動電位」が伝えられるのです。美しく昇華された生命現象の神髄を垣間見る思いがします。

ちなみに、フグの毒として有名なテトロドトキシンは、チャネルの外側からフタをして、ナトリウムイオンが通過するのを遮断してしまう毒であることが、一九六四年デューク大学の楢橋敏夫によって明らかにされています。つまり、フグ中毒とは、神経細胞の活動電位が抑制されるために体が麻痺してしまう症状であったのです。

電気回路では電子が電線に沿って流れますが、神経細胞ではナトリウムイオンの流れる位置（チャネルが開いている場所）が「ドミノ倒し」のように移動することで活動電位の伝導が行われていますので、電気回路にくらべると、その仕組みはかなり複雑です。したがって、信号の伝わる速度も電気回路にくらべるとずっと遅くなります。電気回路では電流は光と同じ速さ、つまり一秒間に三〇万キロメートルという猛スピードで伝わりますが、神経細胞では速くても一秒間に一〇〇メートル程度にすぎません。その点は、電気回路よりも劣っているのですが、それでも、活動電位の伝導速度は新幹線に匹敵するくらいのスピードですから、たとえば、「あちっ」とか「いてっ」などと一瞬で手足を引っ込める脊髄反射のような場合でも十分な速度は保たれています。

3-3 信号の乗換駅「シナプス」

もうひとつ、神経回路が電気回路と決定的に異なっている点があります。電気回路は回路全体が電気を流す導体でつながっています。その回路のどこかが少しでも物理的に離れて絶縁されていると、決して電気は流れません。家電製品のスイッチのオン・オフや、いわゆる接触不良などによる故障は、まさに電気回路のこの性質によるものです。しかし、神経回路ではだいぶ様子がちがいます。**図9**に示したように神経細胞どうしは神経線維で回路を作ってはいますが、個々の線維は物理的には接していません。神経回路を構築しているそれぞれの神経細胞は互いに電気的に完全に独立しているのです。

神経回路は電線のような連続体ではなくて、線維と線維の間は途切れていて、わずかながらすき間があります。ですから、線維を伝わってきた活動電位は、その境目でつぎの神経細胞へと乗り継ぎをしなければなりません。たとえば、北海道から鹿児島まで電車で行こうとするとき、直通の電車がないから、途中の駅で乗り換えをしなければならないというようなものです。

神経回路では、その乗換駅のことを「シナプス」とよびます。また、シナプスにある神経細胞どうしのすき間のことを「シナプス間隙《かんげき》」とよびます。そして、このシナプス間隙で活動電位が乗り継がれることを「伝達」といいます。すでに述べたように、活動電位が神経線維に沿って流

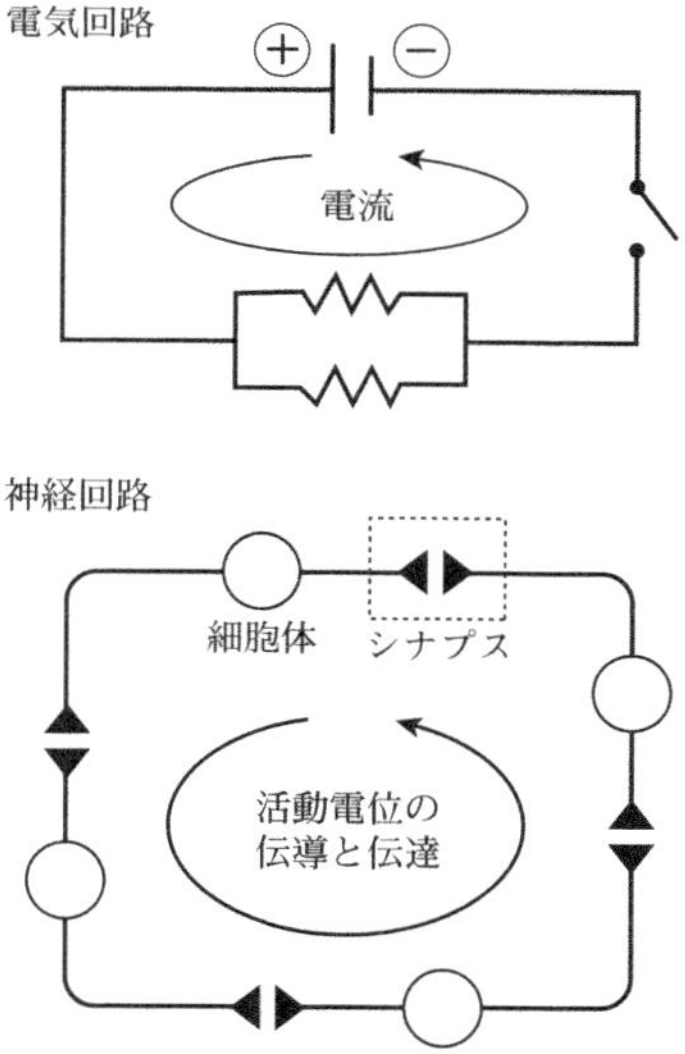

図9　神経回路と電気回路の略式図

れていくことは「伝導」とよばれ、活動電位がつぎの神経細胞に受け継がれることである「伝達」とは異なる別の現象です。この二つの用語は似ていますが、**図10**に示したように区別されて使われますので注意してください。

つぎに、シナプス伝達について詳しく説明しましょう。これについて理解することが、「記憶」を理解するための最初のステップになります。

シナプス間隙の距離はおよそ二〇ナノメートルであるといわれています。髪の毛の直径の四〇〇〇分の一から五〇〇〇分の一ほどしかない非常に狭いすき間です。しかし、電気

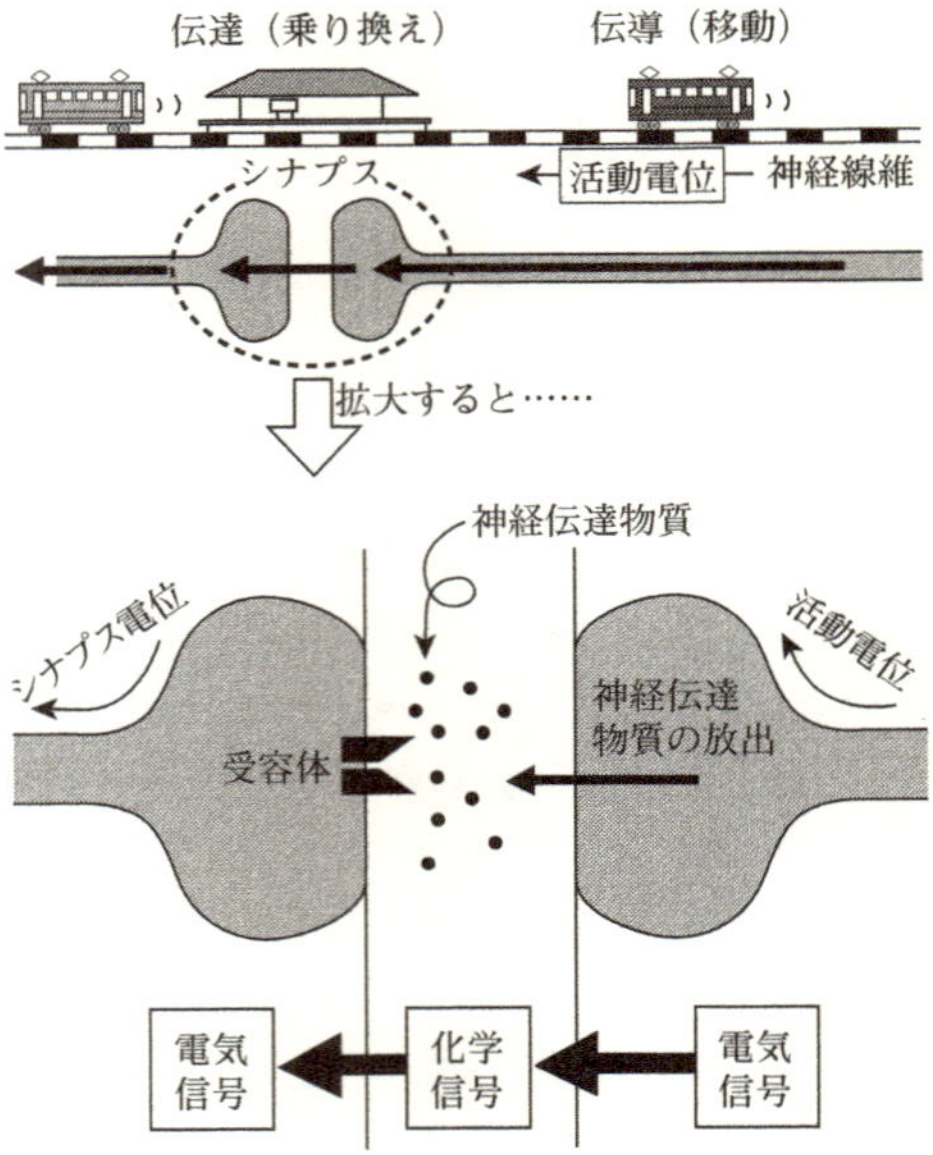

図10　乗り換え（シナプス伝達）のメカニズム

的には完全に絶縁されていますので、電気信号である活動電位は、そのままの形ではシナプスを通過することができません。それでは、いかにしてこのすき間を乗り越えて、つぎの神経細胞に信号が伝わるのでしょうか。神経細胞が編みだした巧妙な手段は、電気のかわりに「化学信号」というバトンを渡すという方法です。つまり、神経細胞は化学物質というボールを使ってキャッチボールをしているのです。このボールは「神経伝達物質」とよばれています。

神経細胞はたくさんの種類の神経伝達物質を使っています。知られているだけでも一〇〇種類はくだりません。中でも、アドレナリンやセロトニンやドパミンなど有名なものは、皆さんも一度は聞いたことがあるでしょう。しかし、これらの神経伝達物質は、脳の本質においてはどちらかというと補助的な役割でしかありません。神経細胞において、より実質的に重要な神経伝達物質は「アセチルコリン」と「グルタミン酸」です。

アセチルコリンは一九三三年に発見されました。神経伝達物質の中ではもっとも早く見つかったものです。筋肉を動かす指令を送る神経細胞は、もっぱらこのアセチルコリンを使っています。また、脳の中では、「ベートーベンの運命」のリズムであるθ波を作り出すもとになっているといわれています。

一方、グルタミン酸はいわゆるアミノ酸のひとつで、舌で感じる「うま味」の成分としてよく知られています。昆布のダシのうまさの主役は、このグルタミン酸です。グルタミン酸は化学調味料としても市販されていますので、一般にはどちらかというと、うま味の成分として認識されているかもしれませんが、じつは、脳にもっとも多く含まれている神経伝達物質です。脳における神経伝達のほとんどは、このグルタミン酸によって行われているといっても過言ではないほどです。海馬の主要な三つのシナプスでも神経伝達物質としてグルタミン酸が使われています。

3-4 シナプスの仕組み

さて、ここでいくつかの疑問が生まれます。まず、神経細胞はどのようにして活動電位という電気信号を、神経伝達物質が媒介する化学信号に作り替えているのかということです。この答えは一九七三年に英国の神経科学者ヒューザーとリースが明らかにしました。じつは、神経線維の一番先端には、グルタミン酸やアセチルコリンなどの神経伝達物質がいっぱい詰まった袋が用意されていて、その場所に電気信号がくると、袋に詰まった神経伝達物質が放出されるのです。その袋のことを「シナプス小胞」といいます。

図11にある電子顕微鏡の写真は、シナプス小胞が神経伝達物質を放出する決定的な瞬間をとらえたものです。下の写真では、シナプス小胞の一部分がシナプス間隙に接着して、口をパッカリと開けている様子が見てとれると思います。一般に、海馬ではひとつのシナプス小胞におよそ三〇〇〇個ものグルタミン酸が含まれていると考えられています。そして、活動電位の到来とともに、シナプス小胞内のグルタミン酸が一気にシナプス間隙に放出されるのです。これが電気信号を化学信号に変換する巧妙な仕掛けです。

そこでまた、つぎの疑問が生まれます。それは、この化学信号がどのようにして、つぎの神経細胞で電気信号に作り替えられるのかということです。つぎの神経細胞で活動電位を産み出すた

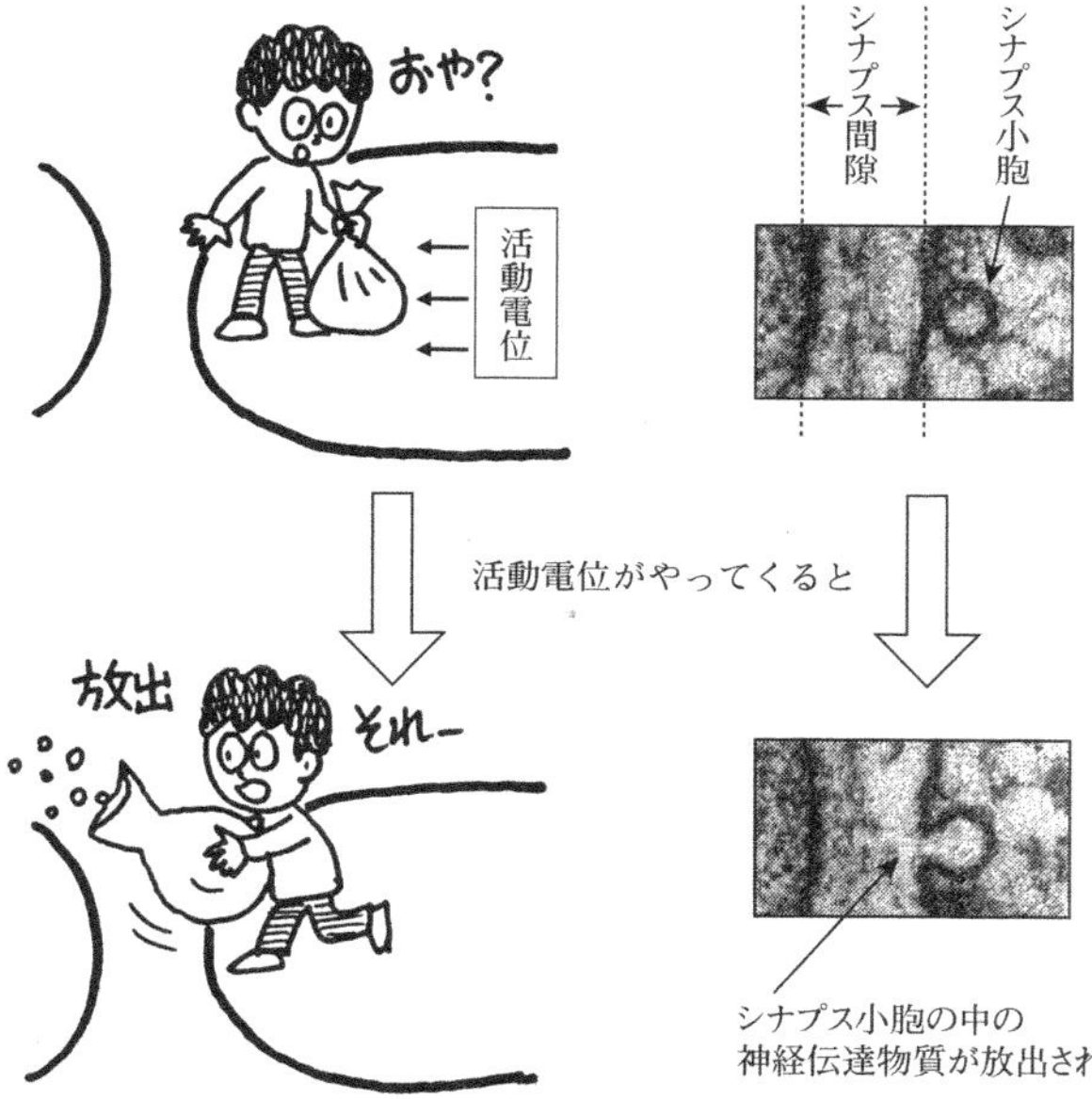
おや?
活動電位
シナプス間隙
シナプス小胞
活動電位がやってくると
放出
それー
シナプス小胞の中の
神経伝達物質が放出される

図11　神経伝達物質の放出

めには、キャッチボールで飛んできたボール（神経伝達物質）をふたたび電気信号に変える必要があります。この謎を解く秘密は、ボールを受けとるグローブにあります。このグローブのことを「受容体」とよびます。

受容体はそれぞれ受けとるボールの種類が決まっていますので、神経伝達物質の種類に応じてさまざまな種類の受容体が存在します。アセチルコリンの受容体はアセチルコリンしか受けとることができませんし、グルタミン酸の受容体はグルタミン酸しか受けとることができないといった具合です。例として、アセチルコリンの受容体の映像を**図12**に示しました。これは極低温電子線回折法という最先端の技術をもちいて、アセチルコリン受容体の全体像をコンピューター上で描き出したものです。受容体は、大きさが一〇ナノメートル（一〇万分の一ミリメートル）程度しかないとても小さなものですが、最新のナノテクノロジーを使えば、こんなにもこまかい様相まで手にとるようにわかるのです。

さて、アセチルコリン受容体をよく見ると、その真ん中に大きな穴がポッカリとあいています。一見すると、この穴こそがアセチルコリンを受けとるグローブの中心なのかと思ってしまいますが、それは間違いで、この穴は受容体の反対側まで貫通しています。じつは、この穴はイオンを通すトンネルなのです。つまり、受容体はそれ自体が「チャネル」なのです。さらに詳しく観察すると、五つの細長い「棒」が同心円状に束になって集まり、その中心がトンネルになっていることがわかります。このひとつひとつの棒は「サブユニット」とよばれています。サブユニットの正体はタンパク質です。つまり、タンパク質どうしがうまく五つ組み合わさって、ひとつの「受容体」が形成されているのです。

この受容体がじつに巧妙にできていて、普段はチャネルが閉じていますが、アセチルコリンというボールを受けとると、チャネルが開いてイオンが通れるようになるのです。つまり、アセチルコリンの有無に依存して開閉するわけです。最近の研究から、全部で五つあるサブユニットの

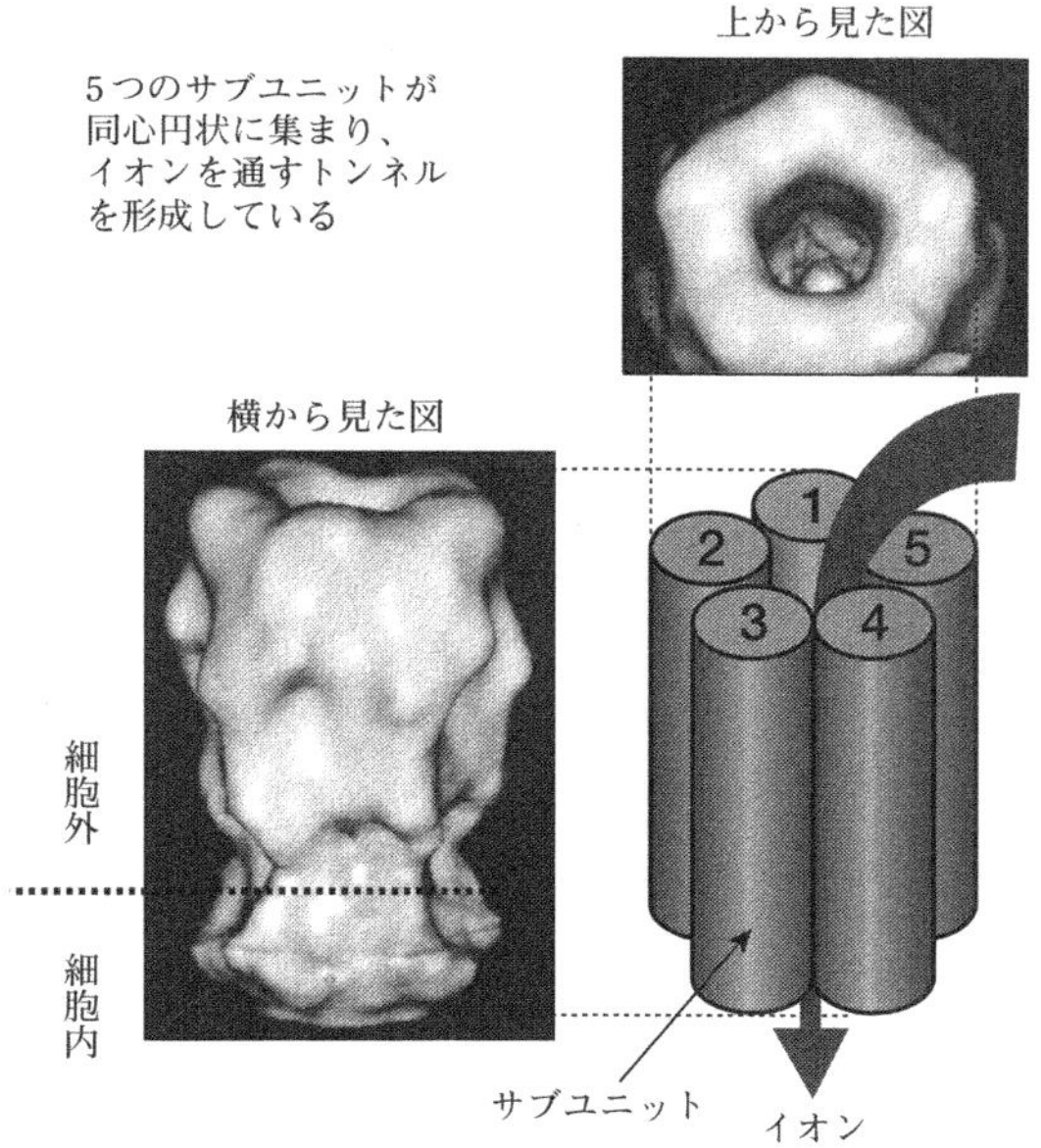

写真2点とも Fundamental Neuroscience, M. J. Zigmond, F. E. Bloom, S. C. Landis, L. R. Squire 編 ACADEMIC PRESS（1999年）

図12　イオンを通す受容体

うち、二つのサブユニットにアセチルコリンのセンサーがついていることがわかっています。このセンサーがアセチルコリンの存在を感知すると、イオンが通行できるようにトンネルの扉が開かれるというわけです。

そして、このチャネルもまた、主に細胞の外にあるナトリウムイオンを細胞の中に流入させます。こうして作られるナトリウムイオンの流れ、つまり、プラス電荷の流れが、電気信号となって、つぎの神経細胞を興奮させるのです。この驚くべき巧妙な仕掛けこそが、まさに神経細胞が使っている化学信号を電気信号に変える手段なのです。

3-5　一方通行のシナプス

少し話がややこしくなってきましたので、ここで簡単にまとめましょう。神経回路を走り回る情報は主に「活動電位」です。これは「ナトリウムチャネル」によって作られる電気信号です。しかし、この活動電位はシナプスという空間的なギャップを飛び越えられませんので、図10（一〇四ページ）に描かれているように、いったん神経伝達物質という化学信号に翻訳されます。そして、この化学信号は、受け手にある「受容体チャネル」によってふたたび電気信号に戻されます。

要するに、シナプスとは電気信号→化学信号→電気信号という変換を行うための小さな工場なのです。しかも、この変換の全行程は一〇〇〇分の一秒という恐ろしいほど速いスピードです。この素晴らしいメカニズムを、生物は進化の過程でみごとに作りあげたのです。逆に、このメカニズムを獲得したからこそ、生命はここまで進化したともいえます。シナプス機構は、数ある生命現象の中でも、もっとも美しく完成された巧妙な仕掛けのひとつなのです。それもそのはずです。動物ではすべての思考や行動が神経細胞によって支配されています。つまり、「神経活動」

こそが生命のもっとも重要な根源だといえます。ですから、その神経細胞に備わっている機構が、このように精巧に仕上げられているということは、考えてみればいかにももっともな話であるともいえます。

すでにお気づきの方もいらっしゃるかと思いますが、つぎの神経細胞に情報を伝える中継点であるシナプスには非常に重要な性質があります。それは、神経伝達物質を放出する側と、受けとる側が、必ず決まっているということです。要するに、シナプス小胞をもっている線維だけが神経伝達物質を放出できて、受容体のある線維だけが神経伝達物質を受けとることができるのです。考えてみればあたり前のことなのですが、この性質は非常に大切です。つまり、シナプスでは信号は一方通行にしか伝達されないのです。これもまた、電気回路と神経回路が決定的に異なる点です。

図9（一〇三ページ）に描かれている電気回路では、起電力のプラス極とマイナス極を入れ換えれば、電流は逆向きに流れます。しかし、神経回路ではそうはいきません。信号はけっして逆流しません。一方通行なのです。つまり、シナプスには、電流に方向付けをする整流ダイオードのような役割があるわけです。図4（四九ページ）を使って記憶を司る海馬の神経回路について説明したとき、この神経回路は必ず「時計回り」であることを述べましたが、神経情報がこの回路をけっして反対向きに流れないという現象は、シナプスが一方通行であるという基本的な性質

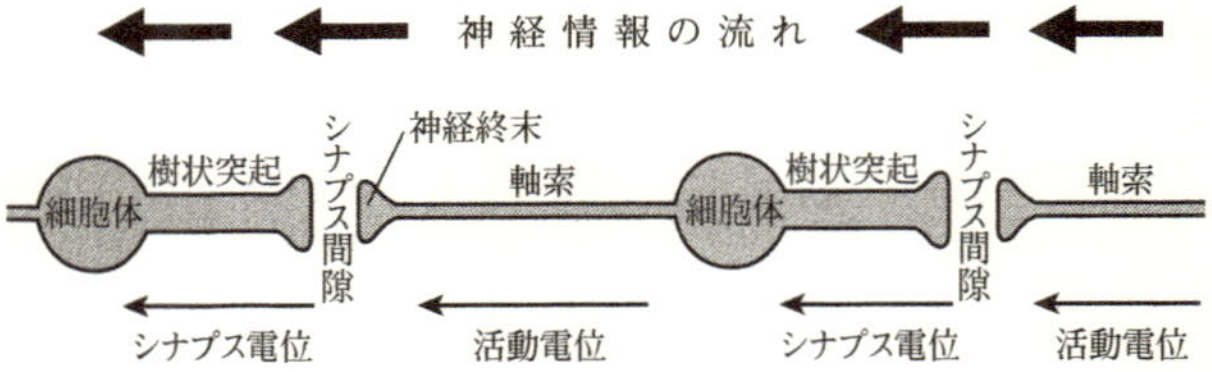

図13　軸索と樹状突起

に起因しているのです。

ということは、神経細胞には、情報の送信専門の神経突起と、受信専門の神経突起が備わっているということが想定されます。実際に、ほとんどの神経細胞は、このような機能の異なる二種類の神経突起を伸ばしていることが知られています。そして、情報を送る専門の線維を「軸索《じくさく》」、受ける専門の線維を「樹状突起《じゅじょうとっき》」とよびます。樹状突起は神経細胞への情報の入り口で、軸索は出口というわけです。模式図を**図13**に描きました。軸索は細くて長いのが特徴です。長いものでは一メートルを超えます。逆に、樹状突起は太くて短いのが特徴です。長くても一センチメートル程度しかありません。シナプスでは、軸索とつぎの神経細胞の樹状突起が二〇ナノメートルという至近距離まで接近しています。

そして、シナプスにおいて、軸索のほうを「シナプス前側」、樹状突起のほうを「シナプス後側」とよび分けています。

3-6 シナプス電位と活動電位

活動電位が伝導する場所は、もっぱら軸索のほうです。ここには活動電位を引きおこす「ナトリウムチャネル」が多く存在しています。そして、活動電位が軸索をくだっていってシナプスまでやってくると、神経伝達物質が放出されます。シナプスには、神経伝達物質が詰まったシナプス小胞がたくさんたくわえられていますから、この部分は少し膨らんでいます。この膨らんだ場所を「神経終末」とよびます。電気信号が化学信号に置き換えられる工場です。

一方の樹状突起には、神経伝達物質の受容体チャネルがあります。しかし、ここには活動電位を引きおこすナトリウムチャネルはありません。つまり、ここで作られる電気信号は活動電位ではないのです。受容体チャネルが作る小さな電気信号にすぎません。この電気信号は「シナプス電位」とよばれていて活動電位とは完全に区別されています。シナプス電位は樹状突起を伝わって細胞体に到達します。そして、細胞体で初めて活動電位に置き換わるのです（図13）。

樹状突起と細胞体で行われている電気信号の変換は、一見すると奇妙に感じます。なぜ神経細胞は、わざわざ一度、シナプス電位を作ってから活動電位に置き換えているのか。いきなり樹状突起で活動電位を作って、一気に神経終末まで送ってしまっても同じことではないでしょうか。

なぜこのような二度手間で煩雑な手続きを踏んでいるのでしょうか。

じつは、この疑問は神経細胞の本質に鋭く迫っています。この疑問をもったとき、皆さんは初めてミクロな「記憶」のメカニズムに触れたことになります。

3-7 シナプスは考える

この答えは、軸索を伝わる活動電位の性質にあります。電気信号というと、その電流の大きさが自在に変えられるのがふつうですが、活動電位に関しては、これはあてはまりません。なぜなら、活動電位は、その強さを調節することができず、スイッチのオンとオフのどちらかでしかないからです。つまり、情報を伝える軸索は「目一杯」か「まったくなし」の単純な信号しか送ることができないのです。

なぜ、このような様式をとっているのかというと、それは情報を遠くまで確実に伝えるためです。電気回路は電線という完璧な導体でできあがっていますから、理論的には小さな起電力でも遠くまで効率よく電流を流すことができます。しかし、神経回路ではそういきません。神経線維の基本成分は脂肪とタンパク質と炭水化物です。これは導体としてはあまり優れた成分ではありません。電気抵抗が大きすぎるのです。通常であれば、電気信号が入ってきてもすぐに減衰してしまうので、軸索の途中で信号が消失し、信号を遠くまで伝えるのは不可能です。

　これを可能にするための装置がナトリウムチャネルなのです。ナトリウムチャネルは、電気信号が入ったとき、その電気を感知してチャネルを開きます。するとナトリウムイオンが流れますから、新たな電気信号が生み出されます。その新たな電気信号はまた、すぐ隣のナトリウムチャネルを開かせて、さらに新たな電気信号を生み出します。そして、この電気信号もまた……というようにして、つぎつぎに隣のナトリウムチャネルが活性化して、神経終末まで電気信号を減弱することなく無事に届けることができるのです。これが「活動電位」の正体です。図7（九七ページ）は、これを簡略化して示したものです。ナトリウムチャネルは、このように電気信号に応じて開閉するので、しばしば「電位感受性チャネル」とよばれます。この電位感受性という性質によって、活動電位は積極的につぎつぎと再生され、消滅することなく軸索をくだっていくのです。

　しかし逆にいえば、ナトリウムチャネルのこの性質が、活動電位を全か無かという単純な信号にしてしまっているともいえます。軸索の電気信号には「伝える」か「伝えない」かの二種しかないのですから、結果として、神経細胞は信号を送るか送らないかの二者択一を迫られることになります。もし一度、活動電位を作りだせば、もはや止めることができない信号として、自動的に軸索の最後まで届けられてしまうため、信号を送るか否かを慎重に吟味選択しなければなりません。

　これを決断するために、神経細胞が使う判断基準が「シナプス電位」なのです。樹状突起にはナトリウムチャネルはありませんから、シナプス電位は、活動電位とは異なり、強弱の微妙な調節が可能な電気信号です。活動電位がデジタル信号だとすれば、シナプス電位はアナログ信号にたとえることもできるでしょう。

神経細胞は、このアナログ信号を参考にして、活動電位を送るか送らないか、という重要な決断をくだしているのです。簡単にいってしまえば、シナプス電位が大きかったら、神経細胞は活動電位を作り、信号を軸索に送り込みますが、シナプス電位が小さかったら活動電位を発生させないで判断を保留します（**図14**）。要するに、神経細胞が活動電位を作り出すか出さないかは、シナプス活動の「強弱」によって決まってくるのです。つまり、神経細胞の決断にとって何より重要なものはシナプスの活動なのです。樹状突起にあるシナプスを使って、神経細胞は「考えている」のです。極言すれば、シナプスこそが神経細胞の挙動を規定している枢軸であるといえます。

写真6は、私の研究室で撮影に成功した神経細胞です。海馬のＣＡ１野にある錐体細胞です。三角形をした細胞体から、数本の神経突起が伸びていて、立派な角をもった雄鹿の頭のように見えます。これらの神経突起のうち、右へ伸びている細い神経突起が軸索で、残りはすべて樹状突起です。このように神経細胞にはふつう、一本の軸索と数本の樹状突起が備わっています。軸索はヒョロヒョロと心もとなげに伸びています。一方の樹状突起は太くてたくましいのでよく目立ちます。そして、こまかく枝分かれして「木の枝」のように見えます。これが「樹状突起」とい

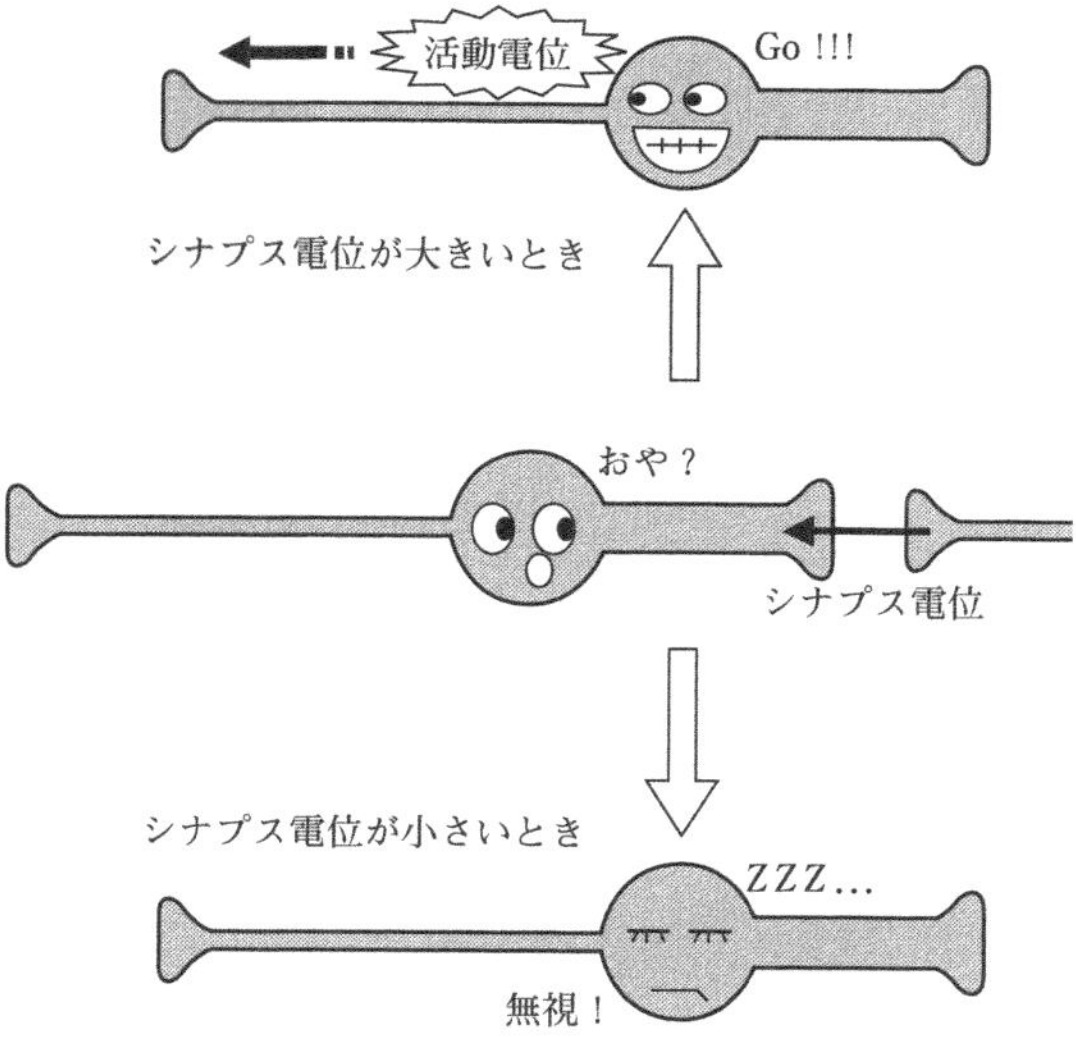

図14　シナプス電位が判断基準

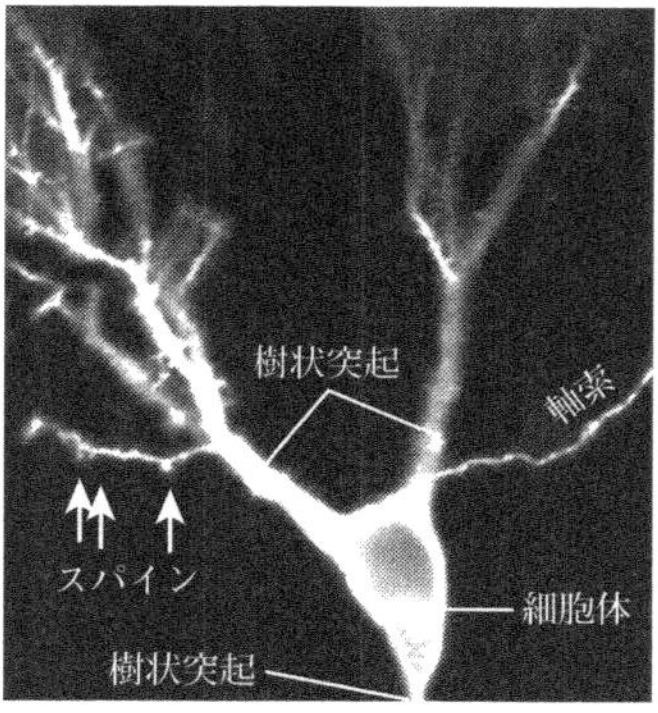

写真６　海馬の神経細胞

う名の由来です。

さらに、樹状突起をよく見てみますと、枝の上にこまかいポチポチしたトゲ状の構造が見えます。これは「スパイン」とよばれるもので、樹状突起が他の神経細胞とシナプスを作っている場所です。つまり、神経伝達物質という化学信号を電気信号に変える工場です。海馬の錐体細胞には、こうしたスパインが非常に高密度に存在していて、ひとつの神経細胞に、およそ三万個ものスパインがあることがわかっています。つまり、それだけ数多くのシナプスをひとつの神経細胞が作っているということです。

ちなみに、一個のスパインはおよそ一万分の一ボルトのシナプス電位を作り出すといわれています。非常に小さな電気信号です。ですから、ひとつのスパインの活動だけでは、神経細胞に活動電位を作るという判断をさせるには十分ではありません。しかし、これが幾重にも重なり合えば、大きなシナプス電位ができあがって、神経細胞は活動電位を発生させることができます。「塵《ちり》も積もれば山となる」という作戦です。実際に、少なく見積もっても、一〇〇個以上のスパインが全開に活動して、ようやく活動電位をおこす判断がくだされるといわれています。つまり、神経細胞は一〇〇個以上もの入力情報を同時に受けとってようやく目を覚ますのです。ちょっとばかり腰の重い感じがしますが、この「慎重さ」こそが神経細胞に備わった大切な性格なのです。

実際にものを見ながら考えると想像も膨らみますから、写真6（117ページ）の神経細胞をもう一度見ながら、いままでに学んだことを復習しましょう。

樹状突起の上に、たくさんのスパインが見てとれます。神経細胞では、入力情報はこのスパインから入ってきて、それが樹状突起を通して細胞体で統合されます。そして、最終的に、細胞体がOKサインを出すと、活動電位が作られ、軸索から出力されるのです。神経細胞は、スパインという数多くの部下たちの意見をとりまとめて、総合的な判断をくだします。

私たちは神経細胞を使っていろいろなことを考え行動をおこしますが、ひとつひとつの神経細胞もまた、このように考えながら行動しているのです。そして、こうした思慮深い神経細胞が互いに複雑に絡みあって、巨大な神経網を築きあげ、最終的に、私たちの豊かな思考や多彩な行動を作りあげているのです。神経細胞それ自身がもつこうした高い情報処理の能力こそが、高次元の生命活動の根源となっています。このイメージをぜひ皆さんにもってもらいたいと思います。まさに、ひとつひとつの神経細胞が「思考」しているのです。加えて、つぎの第4章では、神経細胞はまた「記憶」する能力も備えていることを、皆さんは知ることになるでしょう。

3-8　シナプスという名の精密機械

複雑な生命現象の詳細が科学の力で解明されつつある現在、あらためて考えてみますと、神経活動のミクロな仕組みはすべて物理化学の法則にしたがう機械であることがわかります。活動電位を伝えるナトリウムチャネル、それに応じて神経伝達物質を放出するシナプス小胞、神経伝達物質を感知して開閉する受容体チャネル。驚嘆すべき巧妙さをもってはいるけれども、わかってみれば単純な機械にほかなりません。

いまから約五〇年前の一九五三年、ワトソンとクリックは遺伝情報を運ぶＤＮＡが二重らせん構造であることを提唱しました。生物の中心情報であるＤＮＡが、そんな単純な幾何学的構造をしているという物象的な発見は、当時の生物学者のみならず、人文系の科学者や哲学者たちにすら大きなショックを与えました。かつて神の領域とよばれた形而上学的な「生命」、その枢軸であるＤＮＡが、何とも単純な（しかし美しい）形をした「物体」にしかすぎなかったのですから。しかも、この物体さえあれば、生物を完全に作りあげることができることは、近年盛んに取り沙汰されているクローン動物がみごとに証明しています。つまり、生命は物質であり、逆に、この物質こそが生命の素でもあるのです。

そして、ここで紹介した、動物の生命現象の枢要であるシナプスもまた、物理化学的な機械にほかなりません。考えたり、笑ったり、悩んだり、こうした複雑な人の行動も、結局は脳に備わった精巧な機械が行っているのです。皆さんが、いまこの本を読んで何を感じているかは人それぞれでしょうが、こうして本を読む行為や、それによって感じたり考えたりすることさえも、結局は脳の中の「化学反応」です。こうしたミクロな化学反応が、多彩にそして複雑に絡みあい、驚くべき「多様性」を作りあげているのです。

私は何も精神に対する物質の根源性を主張する唯物論の絶対的な支持者ではありませんが、それでもなお、生命という不可思議な現象を研究すればするほど、見えてくる答えは、生物とは物理化学の法則に素直にしたがう構造物であるという事実なのです。ひとつのことを発見すればその分だけ、生命に対する自分の世界観が変わります。そしてまた、これが研究の楽しいところでもあるのです。

「記憶」という現象も細分化して観察すれば、単純な化学反応、ないしは巧妙な精密機械によって運営されています。しかし、生命の「営み」がすべて物理化学的な物質からなっているということは、もはや驚くべきことではありません。むしろ、そうした多くの部品がいかにして「組織化」され、分子社会、細胞社会、そして個体社会を作りあげているかがより重要な論点なのではないでしょうか。二〇世紀では、生命を司る化学反応が精細に解明されました。しかし残念ながら、これら個々の化学反応がどのように組織化されて「社会」を作りあげているのかという問いに対しては、現代科学はまだ明快に語ることができません。

ヴィトゲンシュタインは名著『理論哲学論考』の中で「(哲学は)語りえぬものについては沈黙しなければならない」と著しています。しかし幸いなことは、ヴィトゲンシュタイン哲学とは対照的に、「語りえぬもの」に対峙し「語ってみせよう」という姿勢を貫いているのが「科学」です。それは決して自信過剰な自惚れなどではなく、未知なるものに対して自然と湧きあがる衝動と憧憬なのです。本能的な好奇心や探究心、つまり、ユングがいう意味での根源的な「リビドー」こそが、科学を駆動する原動力であるといってもよいでしょう。私は、二一世紀の科学が「組織化」という生命の究極の謎を解明することを信じていますし、私自身もまた、これに貢献すべく研究に従事しているのです。

この本では、いまようやく、「ミクロな記憶」の話に入る準備が整いました。しかし、これからさらに深く話を進めていくために、もう少しだけ説明しなければならないことがあります。マクロな話です。ミクロな話をしていくと、どうしても視点が狭い範囲に留まってしまい、全体が見えなくなってしまいます。そうならないためにも、いま一度、「記憶」という脳機能を巨視的な立場から見直してみたいと思います。

3-9 脳とコンピューターはどちらが優秀なのか?

このタイトルの答えは議論するまでもないと皆さんも思われるでしょう。人の頭脳を凌駕する人工知能が作られたとしたら、人類がロボットに逆支配される世界になるだろうという警鐘は、ＳＦ映画などにもよく取りあげられています。しかし、現実の世界ではそのような恐ろしい事態は（まだ？）生じていません。それはとりもなおさず、コンピューターよりも脳のほうが総合的には優れているということなのでしょう。

もう少し厳密に考えてみましょう。近年、仕事や娯楽をとわず、さまざまな分野にコンピューター技術が進出しています。ＩＴ（情報技術）革命が叫ばれるようになったのは最近のことですが、このＩＴ化に際してもコンピューターの存在は不可欠となっています。これほど世の中にコンピューターが氾濫《はんらん》しているという事実は、コンピューターがそれだけ優秀であり、有用性が高いということを意味しています。たとえば、数桁の数の加減乗除や平方根などは、大型コンピューターを使うまでもなく、量販店で気軽に入手できる安価な電卓でもきわめて高速かつ正確に算出することができます。実際に１２３４５の平方根を人の手で計算しようとしたら、膨大な用紙と時間がかかることでしょう。ですからこの程度の計算ならば、電卓に頼ったほうが賢明というものです。そのほうがミスも減ります。

このように、数値の計算や単純な事務的処理は、コンピューターのほうが高速で正確に遂行できることは誰もが認めるところです。しかし、コンピューターが不得手にしている行為もあります。それは、高次元な思考をしたり、直感的な判断をしたり、創造したりといった行為です。こ

脳とコンピューター

のことに関しては人の脳のほうがはるかに優れているといえるでしょう。いまさら私がこうしたあたり前のことをここでいちいち説明しなくても、皆さんも常々そう感じているにちがいないと思います。しかし大切なことは、なぜ、これらの点において脳のほうがコンピューターよりも優秀なのかということです。神経回路と電気回路。同じ「回路」をもちいているにもかかわらず、なぜこんなにもちがうのでしょうか。

すでに述べたように、電気回路の信号は一秒間に三〇万キロメートルで伝わりますが、神経細胞では速くても一秒間に一〇〇メートルくらいです。「ゆえにコンピューターのほうが脳よりも数百万倍は優秀である」とは、ある著名な神経研究者がいった言葉です。しかし、これは詭弁に近いと思います。単純に考えれば、まったくその通りなのですが、実際には、さきに述べたように、脳のほうが総合的には優れています。コンピューターよりもはるかに遅い信号を使っているにもかかわらずです。

「記憶」の問題にしても同じことがいえるでしょう。膨大な容量の記憶媒体が自慢のコンピューターですが、人の脳は限られた数の神経細胞だけで、十分な量の記憶を十分に素早く行うことができます。信号の速度が遅くても、脳はこの弱点を克服しているといえるでしょう。この事実は、とりもなおさず、脳とコンピューターでは情報の扱い方や処理の仕方がまったく異なっているであろうことを予想させます。

したがって、私たちはまず脳の記憶の仕方をよく理解しておかなければなりません。当然、脳の記憶の性質をよく知れば、効率のよい記憶の方法がおのずと見えてくるでしょう。がむしゃらに勉強するよりも、要領よく覚えるほうが自分自身の負担が少なくなりますし、脳にとっても好都合です。このことを皆さんに納得してもらったうえで、つぎの第4章の前半ではまず「記憶の生理学」について話したいと思います。

第4章

「可塑性」——脳が記憶できるわけ

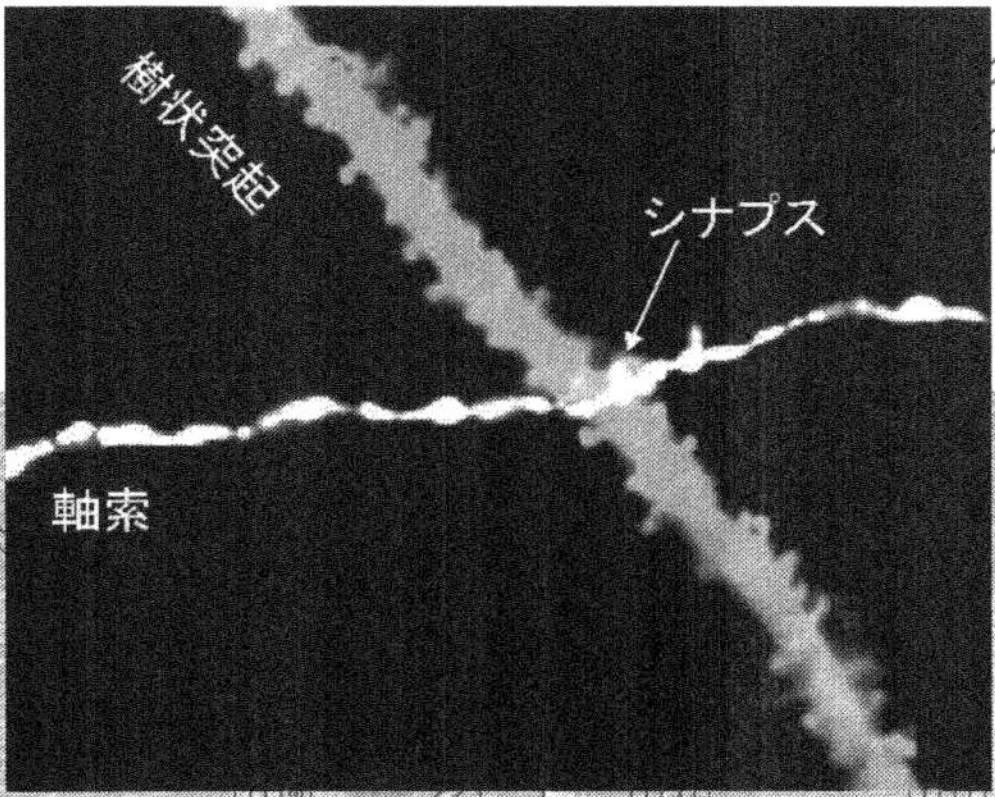

海馬の神経細胞：軸索と樹状突起

4－1　「青」進め！「赤」止まれ！

私の実家では犬を飼っています。この犬は朝の散歩の時間以外は、玄関先の犬小屋で生活しています。私があくせくはたらいている間も、一日をボーっと過ごす、ぐうたらな生活です。そんな中で数少ない楽しみが食事のようです。台所から「何か食べる？」と声をかけてやると、もう嬉しくてたまらないといった感じではしゃぎ回ります。そして、餌をもっていく頃には、たっぷりとよだれを流して待っています。そんなけなげでかわいい犬を見て、ちょっと意地悪をしてみたくなるのは私だけでしょうか。もってきた餌をすぐには与えずに「お手」と命令します。すると、犬はいわれた通り一方の前足を差しだしてきます。それで、ようやくご褒美の餌にありつけるのです。これが、この犬がわが家にやってきたときからのしきたりです。

さて、この過程で、犬はいくつかのことを「記憶」しています。たとえば、「何か食べる？」と聞くと、よだれを流します。この言葉が「もうすぐ餌がもらえる」ということの合図であることを覚えているのです。だから、この「音声」に反応してよだれを流すわけです。これは「パブロフの犬」として知られる条件反応です。また、この犬は、餌にありつくために「お手」をすることも記憶しています。犬は芸を覚えるペットとして知られていますが、このように餌をもらうために、餌とはなんら関係のない行動をとることができます。いずれにしても、餌への応答として

犬は芸をするペット

おこす行動ですから「お手」もやはり条件反応です。

こうして考えてみますと、犬に限らず、私たち人間の行動もほとんどすべて条件反応によって成りたっています。授業や会議で発言するときにはまず手を挙げる。ゴキブリを見ると思わず叫んでしまう。赤信号なら横断歩道はわたらない。こわい先生や厳しい上司にはキチンと挨拶をする。これらはすべて条件反応です。そして、条件反応は「記憶」を頼りに行われます。言うまでもなく、過去の記憶がなければ条件反応などありえません。つまり、「記憶」の研究をするために条件反応を利用することはとても有効な手法なのです。

条件反応には大きく二つの種類があります。いわゆるパブロフの犬のようによだれがでてきてしまう生理学的な反射のことを「古典的条件反応」とよびます。一方、「お手」などのように、餌とは直接関係のない行動を自発的に行う反応のことを「オペラント条件反応」とよびます。これらの反応を利用した記憶の実験の歴史はとても古く、前者は一八八七年にロシアの心理学者パブロフによって、後者は一九三八年に英国の心理学者スキナーによって紹介されました。なお、パブロフは一九〇四年にノーベル賞を受賞しています。

もちろん、これら二つの条件づけのうち、私たちの生活の中でより重要なものはオペラント条件反応です。外界の環境変化に対応して生きるためにオペラント条件反応は不可欠です。ですから、この本では、オペラント学習について説明します。脳の学習能力の性質をよく理解することが、記憶力を増強するための最大の近道ですから、ぜひ理解してください。

4-2 失敗は成功のもと

私たち脳の研究者は記憶の研究材料として「ネズミ」をよく使います。記憶力がもっとも優れている動物は人間ですから、なぜ人間を使わないのかという疑問をもつ読者もいるかもしれませんが、ネズミを使って実験するほうが好都合な部分もあるのです。たとえば、人とくらべてネズミのほうが純粋な記憶をしてくれるということが挙げられます。ネズミの記憶はほとんどが本能に根ざしたものですから、人間のように「今日はだるいな」「面倒くさいな」「早く終わらないか

図15　オペラント条件づけ

な」などということで記憶力が左右されません。昨日は覚えたけど今日はだめだとか、このネズミは覚えるけど別のネズミはだめ、などという「気まぐれ」や「ばらつき」が少ないのです。「記憶」という抽象的でとらえにくい対象を研究する場合、実験の妨げになる目に見えない要因が少ないということは、とても大切なことです。こうした理由で、私の研究室でも主にネズミを使用しています。

ネズミを使ったオペラント条件づけの方法を**図15**に示しました。これはスキナー箱とよばれる装置です。この箱の中では、ブザー音が鳴ったときにレバーが押されると餌が出てくる仕組みになっています。簡単なテストなのですが、第1章で説明した水迷路試験にくらべるとかなり高度な課題ですから、さすがに何回か訓練を積まないと学習できません。そして、この箱に入れられたネズミがどのように学習していくかを観察していると、とてもおもしろい事実が見えてきます。

当然、ネズミにとってスキナー箱は生まれて初めて見るものです。目の前のレバーがなんの役割をしているのかは知りません。そもそも、レバーは押すものであるということさえも理解していないのです。しかも、突然ブザー音が鳴ったりします。まさに、戸惑うばかりの部屋です。そんなあるとき、偶然にレバーが押されて、おいしい餌が出てきます。初めは単なる偶然です。しかし、この偶然が何回か続くと、「レバーを押すこと」と「餌をもらえること」の因果関係に気づきます。ここまでが学習の第一段階です。

この段階まで到達すると、ネズミは餌欲しさに、ひたすらレバーを押します。しかし、レバーを押したからといって必ずしも餌にありつけるわけではありません。ブザーが鳴っていないときにレバーを押しても餌が出てこないからです。何度か失敗を繰りかえすうちに、ようやくこの事実に気づきます。そして、ついにブザーとレバーの因果関係を理解して、ネズミのオペラント学習が完成します。何十回、何百回という試行錯誤を繰りかえして、ネズミはこの課題を記憶するのです。

この過程でネズミは数多くの失敗をします。ああでもない、こうでもない、とさまざまな失敗をして、その結果、ブザーとレバーの関係に気づくのです。つまり、ひとつの成功を導きだすために、多くの失敗が繰りかえされるわけです。逆に、こうした数多くの失敗がなければ正しい記憶はできません。つまり、記憶とは「失敗」と「繰りかえし」によって形成され強化されるものなのです。

これはコンピューターとはかなり異なります。コンピューターは一回で完全に記憶できます。しかも正解だけを完璧に覚えるのです。脳ではそうはいきません。正解を導くためには試行錯誤が絶対に必要です。失敗をして、それを基礎としてつぎに何をするかを考え、そしてまた失敗をして……という具合です。脳の記憶とは、いわば「消去法」のようなものです。これはちがう、あれはちがうと試行していくのです。

つまり、覚えるということは「努力」と「根気」なのです。ここまで読んで「結局そうなのか」「楽はできないな」と落胆した読者もいるかもしれません。確かに、その通りです。しかし、このオペラント課題で、ネズミの学習を早くすることはできます。それは手順を分解する方法です。私の研究室では、オペラント課題をネズミに与えるとき、段階ごとに分けて覚えさせるという方法をとります。つまり、いきなりスキナー箱の中にネズミを入れてブザーを鳴らし、因果関係を覚えさせようとしてもそう簡単には覚えてくれません。ですから、まずブザーとは関係なく、レバーを押しさえすれば餌が出てくるようにし、これを完全に覚えさせます。そして、つぎに、餌をブザーと関連づけます。このようにすれば、ネズミの学習が格段に早くなります。つまり二つのことを同時に覚えるのではなく、ひとつひとつの段階に分けて覚えれば、学習効率がよくなるということです。

この点もまたコンピューターとは異なります。コンピューターは、たとえ多段階の手順でも、一回の保存で完全に記憶できます。しかも正確無比です。一方の脳は、試行錯誤をしながらひとつひとつ手順を踏まねばうまく記憶できません。こうして考えるとコンピューターのほうが優れているような気がしてきます。そして、私たちの脳がどうして消去法などという愚鈍な学習形態をとっているのかと、悔しくさえなってきます。そのおかげで私たちはテストのとき、思ったように記憶できなくて辛い思いをするのですから。しかし、脳のこの性質にはじつに深い理由があるのです。まず、この理由を理解することが重要です。

4-3 脳はいい加減なヤツ

ここで、オペラント課題を習得したネズミに少し意地悪をしてみましょう。ブザーの音の高さを変えてみるのです。たとえば、訓練中は音階「ド」の音を聞かせていたとします。そして、あるとき突然、それより少し高い音である「ソ」のブザー音を聞かせます。すると、どうなるでしょうか。じつは、ネズミは何事もなかったかのように、「ソ」のブザー音にも反応してレバーを押します。つまり、このネズミは、あくまでも「ブザー音」に反応していただけであって、それはド音でもソ音でもかまわなかったというわけです。

しかし、コンピューターでは状況が異なります。コンピューターにとってはドとソでは大ちがいです。ヘルツ数にすると一・五倍もちがうのです。ですから、ネズミと同じようにコンピューターに「ドの音が鳴ったときにレバーを押しなさい」と教え込むと、ソの音が鳴っても反応しません。したがって、コンピューターとくらべると、脳の記憶はかなりおおざっぱで曖昧であるといえます。ドでもソでも区別していないのですから。

たとえば、私が飼い犬に「お手」という芸を教えます。この芸を覚えた犬は、別に私が「お手」といわなくても、誰か他の人に「お手」といわれれば前足を差し出します。声色は誰でもよいのです。こうして考えると、一般に記憶とは決して厳密なものではなく、かなり曖昧でいい加減なものであるといえます。ファジー記憶とよんでもよいかもしれません。じつは、これが脳の記憶の「本質」なのです。

この曖昧さは、生命にとってきわめて重要な意味をもっています。なぜなら、生活している環境は日々刻々と変化しているからです。たとえば、初対面の人に会ったとき、その人はきれいな髪に水玉のリボンをつけて紺のワンピースを着ていたとします。しかし、つぎに会ったときには同じリボンとワンピースを身につけている保証はありません。もしかしたらパーマさえかけているかもしれません。もし、これらすべてのものを厳密に記憶したとしたら、再会したときにその

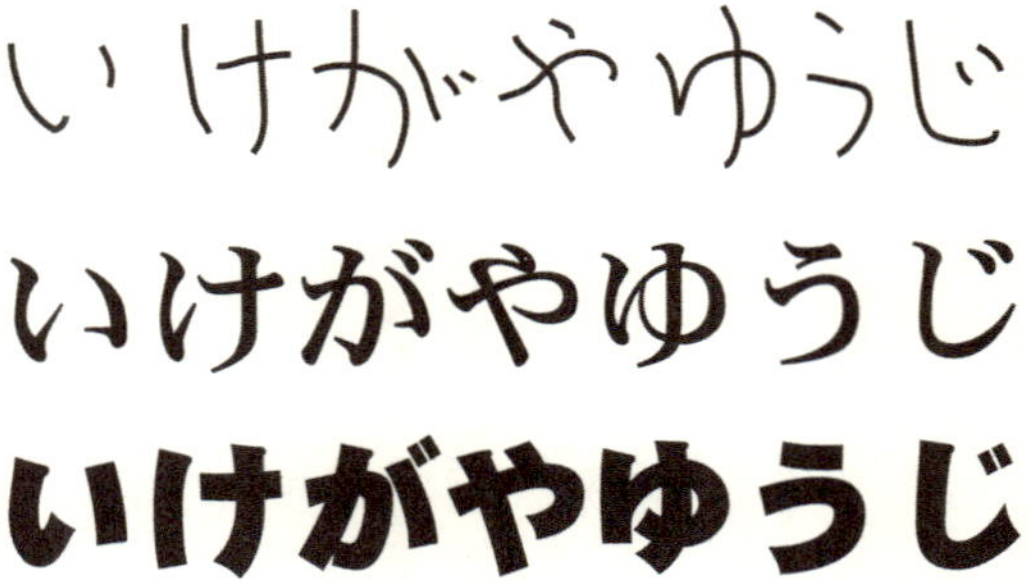

図16 「いけがやゆうじ」という文字の認識

人は別人として認識されてしまいます。これでは困ります。ですから、記憶には厳密さよりも、むしろ、曖昧さや柔軟性が必要とされるのです。

文字でも同じことがいえます（図16）。人によって筆跡が異なるにもかかわらず、同一文字であると認識できます。要するに「似ている」ことが大切なのです。こうしたことも、記憶がほどよく曖昧で柔軟であるからこそできるのです。そして、「似ているもの」を覚えるために「似ていないもの」を削除していく消去法が記憶には使われています。

変容する環境の中で、生物が生きながらえるためには、過去の「記憶」を頼りに、さまざまな判断をくだしながら生活する必要があります。しかし、変化する環境の中で、まったく同じ状況は二度と来ないのがふつうです。ですから、記憶は、ほどよく柔軟であることがどうしても必要なのです。もし、記憶が厳密なものであったら、変化を続ける環境の中では、活用することのできない無用な知識になってしまいます。近代言語学の父ソシュールが「意味や言語は人間関係や社会構造から生まれた相対的な差異の構造を反映しているにすぎない」と述べていますが、このように脳は絶対的な事象の抽出ではなくて、その範疇《はんちゅう》における相対的な文脈の連辞関係を記憶しているわけです。

しかし、脳にも厳密な記憶というものがないわけではありません。たとえば、遺伝子にプログラムされている絶対的な記憶です。「本能」といってもよいかもしれません。暖かくなったら冬眠から目覚めるカエル、七年経ったら変態するセミ、ウグイスに育てられても南にわたるホトトギス、乳を含ませれば母乳を吸う乳児。これらもいわば記憶です。こうした本能にもとづいた記憶には柔軟性がありませんから、あらかじめ予定された環境でしか役に立ちません。ガンやアヒルのひなが初めて目に入った動くものについて歩くという「ローレンツ刷り込み」という有名な現象も、初めて見たものが親鳥であるという想定のもとで初めて意味のある記憶となります。たまたま近くを通りかかったのがヘビだったら、とんでもない悲劇がおこるでしょう。

このように、記憶に柔軟性が備わっているということは、生命にとってきわめて重要なことなのです。そして、進化論的に下等な動物ほど、厳密な記憶の割合が多く、ファジーな記憶が少なくなるという傾向があります。下等な動物ほど失敗しても学習せず、結局は命を落としてしまう場合が多いのです。逆に、私たち人間の脳にはきわめて大きな柔軟性が与えられています。ですから、何度、失敗してもそれを活かして成功に導くことができます。これは私たちの脳に与えられた「権利」なのです。

こう考えると、失敗や間違いは臨機応変にものごとに対応するための「汎化《はんか》」という大切なはたらきと表裏一体であって、ある程度はやむを得ないということが理解できます。何でも正確に記憶して、いつまでも忘れないのが優れた脳であるという認識はあらためなければいけません。コンピューターのような正確無比な脳は「脳」としては役に立たないのです。人間とは忘れたり間違ったりするものなのです。その弱点を補うために、人は、コンピューターや文字を発明し開発したにすぎません。

4-4 道を究めて達人になる

さて、オペラント学習でネズミはド音もソ音も区別していないと述べました。しかし、これを区別させることができます。ドのときだけ餌を与えるようにすればいいのです。もちろん、初めは、ネズミはこのことを理解していませんから、ソのブザー音でもレバーを押します。しかし、この失敗を何度か繰りかえすと、ソの音を無視し、ドの音だけに反応するようになります。こうして、ネズミはドとソの区別ができるようになるわけです。ここまでくればあとは楽に「ドとファ」や「ドとミ」の区別もつくようになります。ドとド♯ですら聞き分けることが可能になるで

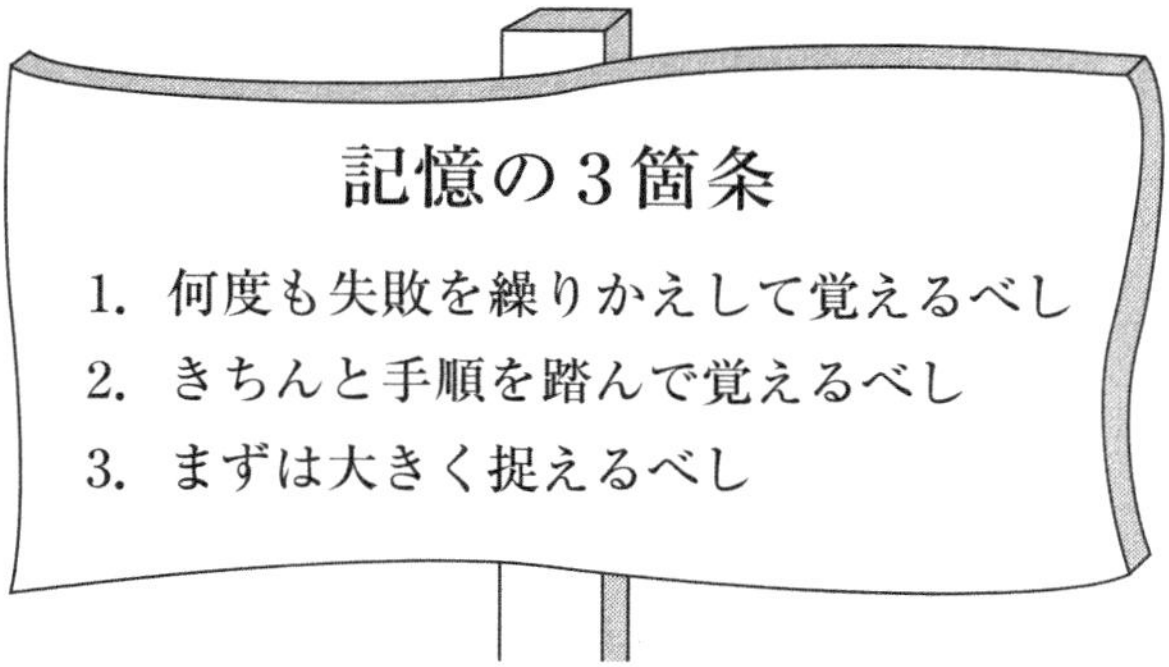
記憶の３箇条
1. 何度も失敗を繰りかえして覚えるべし
2. きちんと手順を踏んで覚えるべし
3. まずは大きく捉えるべし

図17　記憶するために

しょう。しかし、音の区別のできていないネズミに、いきなり、ドとド♯を聞かせる訓練をさせても、いつまで経っても、この二つの音のちがいを聞き分けるようにはなりません。

つまり、ちがいの大きなものを区別できるようになってからでないと、小さいものを区別できるようにならないのです。こまかい事象の差を知るためには、まず一度、大きく事象をとらえて理解することが必要なのです。一見遠回りにも思えますが、ドとド♯のちがいを学習するためには、まずドとソの区別を覚えるほうが結果としては早く学習できます。脳は曖昧な記憶方法をとっているため、こうした手順を踏むことが大切なのです。これは、私たちの普段の生活の記憶にもあてはまると思いますが、この話はまた第6章で述べることにしましょう。いまここでは、記憶の生理学を通して、私たちの得ることができた結論を**図17**にまとめるに留めます。

4－5　脳が記憶するとき

この本では、これまで皆さんとともに、いくつかの角度から記憶の性質について考え、そして、理解してきました。そこで、つぎに一歩進んで、記憶するとき脳の中ではいったい何がおこっているのかを考えてみましょう。この疑問を通じて、これから皆さんは、一気にミクロな記憶の話に入っていくことになります。

私たちはすでにワシントンがアメリカの初代大統領であることを知っています。そのきっかけは人によってさまざまでしょう。しかし、どんな人でも、教えられる前は当然知らなかったはずです。生まれたときからワシントンを知っている人などいませんから。しかし、こんなあたり前の話の中に、大変重要な手がかりが隠されています。

図18を見てください。ワシントンがアメリカの初代大統領であることを知らない状態が左、知っている状態が右です。初めは誰でも左の状態です。ところがいまは右の状態です。この変化は、生まれてからいままでのあるときの「きっかけ」によって引きおこされます。きっかけは人によってさまざまでしょうが、とにかく昔は左、いまは右の状態であることは間違いありません。そして、この両者の状態を移行するとき、脳になんらかの変化がおこるはずです。覚えていない状態と、覚えている状態とでは、脳の「何か」がちがっているはずです。しかも、この「何

図18　以前は知らなかったワシントン

か」は時間を超えて持続的に保たれています。

つまり、脳には、あるきっかけにしたがって変化をおこし、この変化を保ち続けるという性質があるのです。これを「脳の可《か》塑《そ》性《せい》」とよびます。可塑性とは少し難しい言葉ですが、辞書をひくと「固体に外力を加えて弾性限界を超えた変形を与えた時、外力を取り去っても歪《ひずみ》がそのまま残る現象（広辞苑第三版）」とあります。つまり、脳の可塑性とは、脳があるきっかけによってなんらかの変化をおこし、そのきっかけがなくなっても変化したままの状態でいるということです。実際に、私たちはワシントンをすでによく知っていますから、思いおこすたびに教科書の所定のページを見かえす必要などありません。それにしても、記憶するときに、脳の何が変化するのでしょうか。この「何か」を知ることが、記憶のメカニズムを知ることへの第一歩です。

4-6 人間が人間である理由

この「何か」が実際に何であるのかは、この本をここまで読んできた皆さんならすぐに想像がつくことと思います。脳は緻密な神経回路からなっています。そして、脳はこの神経回路を使って情報を管理しています。つまり、回路のつながり具合によって、どう情報が処理されるかが決定されてきます。神経細胞がどのようにネットワークを作っているかということが、脳にとってはきわめて重要な問題なのです。

外挿すれば、「覚えていない状態」と「覚えている状態」のちがいは、神経回路のパターンがちがうということになります。つまり、記憶することは神経細胞のつながり方が変化することなのです。脳の可塑性は新しい神経回路の形成によっておこるわけです。この意味で、「何か」とは「神経回路」であるといえます。神経回路の変化こそが記憶の正体なのです。

ちなみに、専門的にいえば、「記憶とは、神経回路のダイナミクスをアルゴリズムとして、シナプスの重みの空間に、外界の時空間情報を写し取ることによって内部表現が獲得されることである」と厳密に定義されています。

これは、コンピューターの記憶方法とはずいぶん異なります。コンピューターはアドレス方式とよばれる方法で記憶します。つまり、記憶する場所があらかじめ用意されているのです。しかも、その場所は数多くの部屋からなり、順に部屋番号（アドレス）が決められています。記憶する事象はその小部屋に個別に格納され、ふたたび記憶をよび出すときには、部屋番号を指定し、その内容を取りだすという非常に能率的な方法をとっています。おのおのの小部屋は互いに完全に独立しているので、収納や取りだしの過程で妙な間違いはおきません。

一方、脳では、記憶は神経回路にたくわえられるのですが、じつは、同じ神経細胞がほかの記憶にも使われます。なぜなら、ひとつの神経回路にひとつの記憶しか貯蔵できなかったとしたら、記憶の容量はかなり限られてしまうからです。これでは、回路と同じ数の情報しか覚えられなくなってしまいます。ですから、記憶容量を確保するためにも、脳はいろいろとやり繰りしながら、神経細胞を使い回さなければなりません（**図19**）。

その結果として、ひとつの神経回路にはさまざまな情報が同時に雑居してたくわえられることになります。当然、こうしてたくわえられた情報は互いに相互作用してしまいます。人の記憶が曖昧である理由はまさにここにあります。人は間違いや勘違いをよくおこします。さらに、記憶が時間とともに変わったり薄れたりしてしまうことさえもあります。神経回路を使い回さねばならないという脳の「宿命」こそが記憶の曖昧さの元凶なのです。

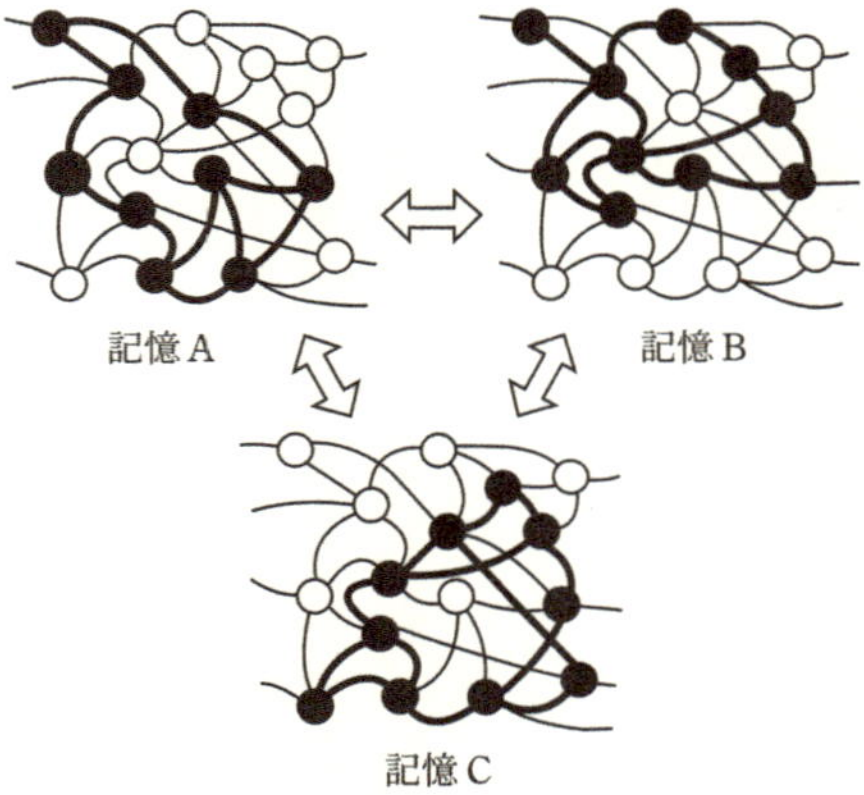

図19　脳は神経回路を使い回す

しかし、逆に、この性質が、脳に「人間性」を与えていることに、ぜひ気づいてほしいと思います。保存情報が相互作用するということは、まったく異なるものごとを関連づけることができるということです。これはすなわち私たちが行っている「連想」という行為そのものです。さらに、情報を関連づけ、まったくちがった新しいものが形作られるかもしれません。これこそが「創造」という行為です。私たちが想像したり、思索したり、創造したりという行為は、記憶が相互作用できる神経回路にたくわえられているということの恩恵なのです。そして、もちろん、こうした行為は正確無比を誇るコンピューターには到底できない芸当です。人が人らしくあるために、脳は曖昧に、そして乱雑に（！）記憶をたくわえているのです。

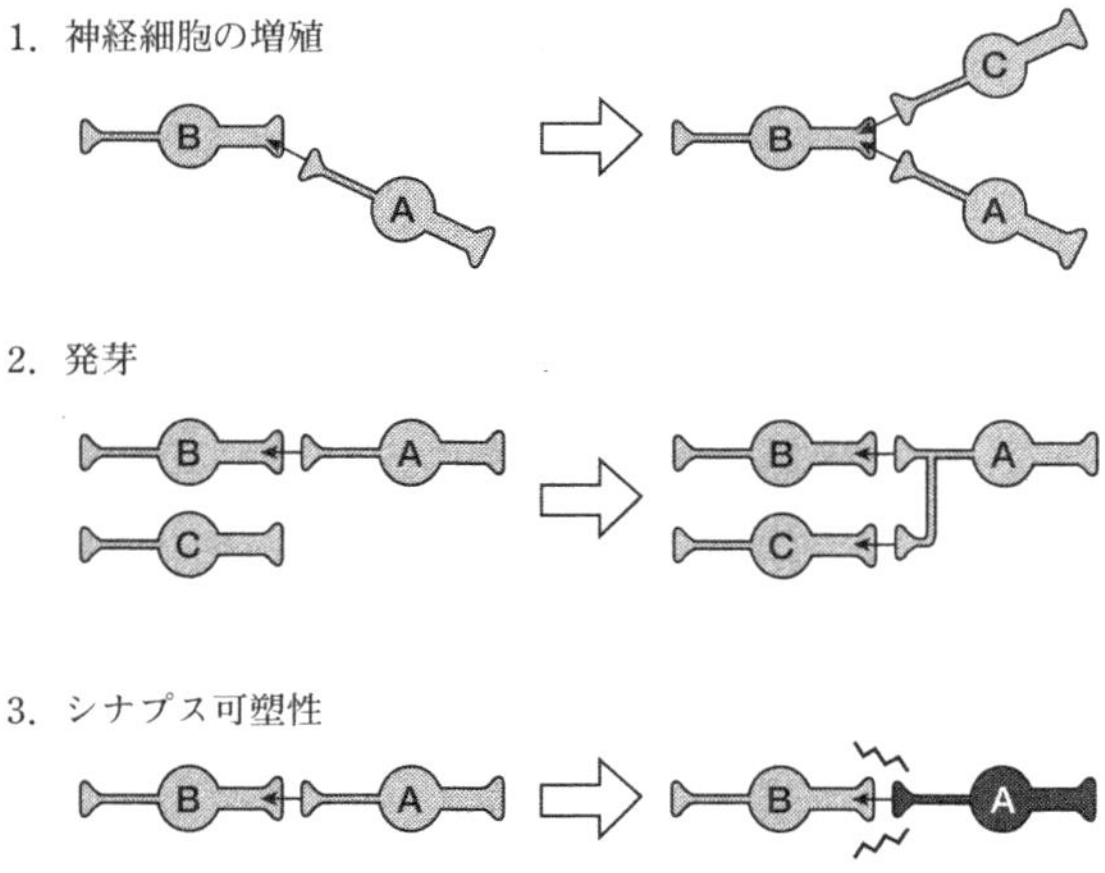

図20　新しい神経回路をつくるには

4-7 路線図か時刻表か

記憶とは神経回路の「変化」です。これは、記憶とは新たな神経回路のパターンを作りあげることであると言い換えることもできます。それでは、新しい神経回路を形成するために、脳はいかなるメカニズムを用意しているのでしょうか。**図20**に新しい神経回路を作る方法を思いつくままに三つ挙げてみました。

　ひとつ目の仮説は、神経細胞が「増殖」することで新しい回路が形成される方法です。Aの神経細胞が出力側、Bが入力側で、この二つの細胞はシナプスによってA→Bという結合をしています。ここに新しい神経細胞Cが増殖によって現れ、C→Bという新しい回路が形成されます。

二つ目の仮説は、新しくシナプスが発生するという方法です。図**20**の**2**のようにA、B、Cの三つの神経細胞があったとします。初めはA→Bの回路しかなかったものが、のちにAがCにも出力するようになり新しくA→Cという回路が生成します。これは「発芽」とよばれている現象です。

三つ目の仮説は、シナプスの伝達効率が上昇するという方法です。これは、見かけ上は神経細胞の数も、シナプスの数も変化しないのですが、神経細胞と神経細胞の間で信号のやりとりがしやすくなるというものです。電気回路でいうのなら抵抗が小さくなって電気が流れやすくなる現象にたとえられるでしょう。少し難しい考え方ですが、いつもは抵抗が大きいために伝達効率が悪く、ほとんど利用されていなかったシナプスが、抵抗が小さくなり情報がスムーズに伝達できるようになったとすれば、全体として見て、新しい回路が形成されたと考えることができます。要するに、シナプスの機能的な結びつきが強化されるということです。この考え方を「シナプス可塑性」とよんでいます。

神経回路を、電車の線路にたとえるならば、増殖と発芽は、在来線に新しい線路をつないだり、駅を新設したりすることに相当しますが、シナプス可塑性は、あまり利用されていなかった路線の電車の本数が増えて乗換駅が盛んに利用されるようになることに相当します。つまり、「路線図」を書き換えることが増殖や発芽であり、「時刻表」を書き換えることがシナプス可塑性であるといえます。

4-8 ある哲学者の記憶

三つの仮説を挙げてみましたが、脳は新しい回路を形成するためにどの機構をもちいているのでしょうか。まず、ひとつ目の増殖という機構ですが、増殖できる神経細胞は、海馬の歯状回にある顆粒細胞のように脳の中でもごく限られた神経細胞のみです。もちろん、歯状回ではこうした方法が利用されていることは十分に考えられますが、脳のほかの部位では、神経細胞が増えることによって新しい回路が形成されることはまずありえませんので、一般的な方法とはいえないでしょう。

残りの二つの仮説は発芽とシナプス可塑性です。このどちらの機構を脳が使用しているかは、日頃、私たちが体験することを考えてみれば明らかです。たとえば、電話をかけるとき、私たちは電話帳を見て電話番号を暗唱しダイヤルを回すことができます。このとき、電話番号を覚えるのに必要とする時間は秒単位です。一方、最近の研究によると、シナプスの発芽には、ふつう数十分から数日といった長時間を必要とすることがわかっています。つまり、発芽は、時間という観点から、記憶のメカニズムとしては不合格なのです。ただし、脳の神経細胞には発芽という現象が実際に確認されていますので、素早い記憶ではなく、もっと長期にわたる安定な記憶の保持に関係しているのかもしれません。まったく同じことは、増殖に関してもあてはまります。おそらく、長い期間の記憶には発芽や増殖などの遅い現象も関与しているのでしょう。

最後に残った仮説はシナプス可塑性ですが、これはシナプスの抵抗を変化させる（時刻表を書き換える）だけですので、これならば瞬時に行えそうです。実際に、私も含めた現在の脳科学者たちは、シナプス可塑性こそが、記憶や学習の基礎をなすもっとも主要なメカニズムであるという見解をもっています。

ここで、ひとつ紹介したい文献があります。それは、哲学者であるデカルトがいまから三世紀も前に『情念論』という著書の中で記憶について語った部分です。活動電位やシナプスはもちろん、神経細胞すら発見されていなかった時代のことです。彼はその本の中でこういっています。

心がある事柄を想起しようと欲した場合、（中略）、思い出そうとする対象が残した痕跡の存在する箇所に出会うまで、脳の各所に精気を押し流すのである。けだしこの痕跡とはかつて問題の対象が現れたために精気がそこから流れ出した脳気孔にほかならず、その結果、この痕跡は精気が到達した場合、ふたたび同様にして開くことが、他の気孔とくらべてはるかにたやすくなっているのである。したがってこの気孔に出会った精気は、（中略）、この対象こそ心の思い出そうとしていたものであることを心に教えるのである〈『世界文学大系13　情念論』(筑摩書房)より引用〉。

デカルトらしい難解な文章です。神経細胞の実体がわかっていなかったという時代背景も、この文章の解読を難しくしているのかもしれません。しかし、神経細胞の詳細が解明されつつある現在、「精気」という単語を「活動電位」に、そして「気孔」を「シナプス」に読みかえてみると、とてもわかりやすい文章になります。

ある事柄を思い出そうとしたとき、脳にたくわえられた過去の記憶(痕跡)を探すために、脳の各所に活動電位を送り込みます。痕跡とは、過去に活動電位が通過したシナプスのことで、その結果として、活動電位が到達したとき、このシナプスが活動することが、はるかにたやすくなっています。したがって、このシナプスにたくわえられた記憶こそが、いままさに思い出そうとしていたものとして想起されるのです。

つまり、デカルトが説いていることは、ある特定のシナプスが活動しやすくなる現象、それこそが記憶であるということです。まさに、シナプス可塑性ではありませんか。ソクラテス以来、多くの哲学者が記憶について論じてきましたが、これほど本質をつき、そして現代科学に通用する思弁を提示してみせた人はデカルトをおいて私は知りません。

それでは、記憶に関与すると想定されるシナプス可塑性についてさらに考えてみましょう。

4－9　ヘブの法則

もし、シナプス可塑性が本当に記憶に関係するのならば、逆に「記憶」のもつ性質からシナプス可塑性をある程度は論じることができるはずです。そこでまず、シナプス可塑性が脳の記憶の基礎であると仮定したら、この機構がどういう性質をもっているはずなのかを考えてみましょう。

まず、いままで私たちが記憶してきた対象が、どういうものであるかを考えてみましょう。自分がいま記憶しているものをあらためて思い出してみると、それは印象深かったことであるとか、記憶する必要のあったものであるとか、とにかく、何か特別な事象だったはずです。どうでもよいものごとはあまり記憶されてはいません。このように、通常は、印象的であったものごとか、もしくは、自分で覚えようと意識したものしか記憶されません。これが記憶の基本的な性質です。ただぼんやりとものを眺めているだけでは記憶されません。逆に、この性質があるからテスト前にさんざん苦労するのですが、しかし、もし見えているものをすべてもれなく記憶してしまうと、脳のメモリーは数分間で満杯になってしまうといわれています。脳の容量とはそんなものなのです。

したがって、覚えようとしたものしか覚えられないという記憶の性質は決して悲観すべきものではありません。記憶すべきものとすべきでないものを、きちんと選択することが、限られた記憶容量を有効に利用するための最低条件なのです。つまり、覚えるべきだという強い信号がきたときにのみ、脳はそれを記憶するのです。当然、シナプス可塑性にも、こうした性質が備わっていると考えられます。ある一定以上の強い信号が来たときにのみ、シナプス可塑性が生じるはずです。この性質のことを「協力性」とよびます。**図21**の**1**を見てください。シナプスには「閾値《いきち》（記憶するために必要な最小の刺激量）」が設定されていて、閾値を超えた強い信号（記憶すべきもの）だけを選抜して記憶しているのです。

このように、私たちの脳は覚えようとしなければ覚えられないのですが、逆に、私たちは覚えようと意図したことを覚えることができます。たとえば、ワシントンを覚えようとしていたのに、なぜか、教科書の前ページに書かれていたナポレオンが間違って脳に記憶されてしまった、などということはまずありません。覚えようとしていることだけを、私たちは確実に覚えられるのです。そして、これもまた記憶の基本的な性質のひとつです。

シナプス可塑性でいうと**図21**の**2**になります。通常、ひとつの神経細胞には約一万個の入力が

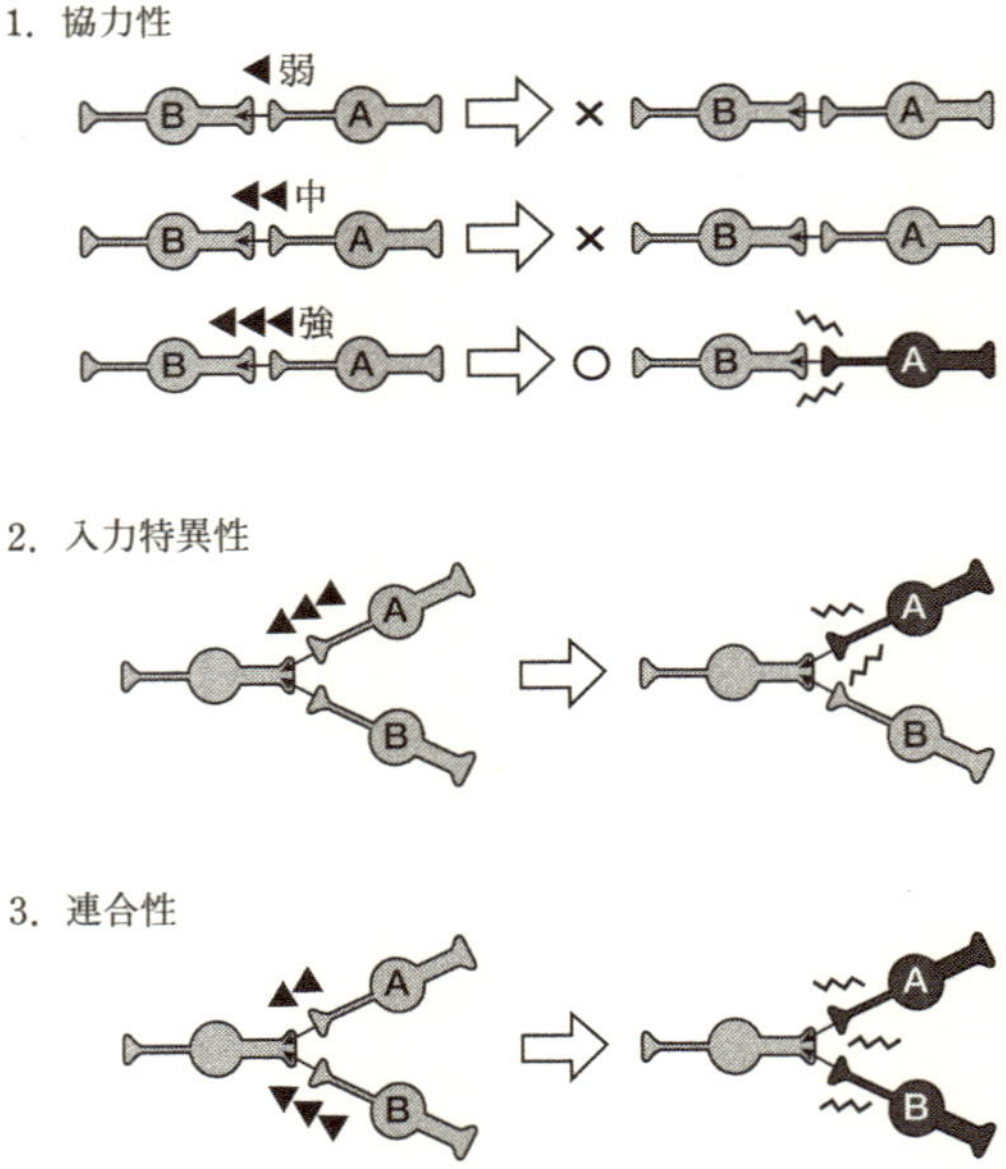

図21　ヘブの法則

ありますが、ここでは簡略化してA、Bの二つの入力を示してあります。いま、神経細胞Aからシナプス可塑性をおこすような閾値を超える強い信号が入ってきていますが、そのとき神経細胞Bはまったく活動していなかったとします。記憶の性質をかんがみると、この場合、Aでのみシナプス可塑性がおこり、Bのシナプスは影響を受けないという現象が生じるはずです。シナプス可塑性はおこるべきシナプスに限定して生じ、関係のないほかのシナプスには影響を与えないのです。この性質を「入力特異性」とよびます。つまり、記憶したいものをきちんと記憶するためには「協力性」と「入力特異性」という二つの性質が絶対に必要なわけです。

しかし、もうひとつ忘れてはならない記憶の性質があります。それは「連合学習」です。私たちはものを覚えるときに、しばしば何かに関連づけて記憶します。たとえば、教科書のワシントンを覚えるにしても、ただ「ワシントン」と覚えただけでは、何の役にもたちません。「アメリカの初代大統領」と覚えることで初めて意味のある記憶となります。一般に、個々の記憶は独立ではなく互いに連合されています。たとえば、ある観光地で同じ研究棟の学生と出会ったという私のエピソード記憶は、もはや解析不可能なほど数多くの事象が密接に連合しあって、ひとつの記憶が形作られています。また、梅干しを見るとよだれが出てくるといった単なる条件反射も連合学習の例です。このように、私たちはある事象をほかの事象に連合させて記憶しています。

一方、事象を連合させると覚えやすくなるという事実を見逃してはいけません。ワシントンもただの文字の音列としてはまったく意味をなさないので、これだけを記憶しようとしてもすぐに忘れてしまいます。しかし、この人は初代アメリカ大統領で偉業をなしとげた、と連合すると意味のある事象となって、脳の記憶を助けます。また、「語呂合わせ」は連合によって記憶を助けようとする典型的な例です。つまり、連合させれば閾値以下のものでも覚えられるというわけです。

したがって、シナプス可塑性にもこのような性質はあるでしょう。**図21**の**3**を見てください。Aから閾値には達しない程度の弱い信号が入力されています。このままでは、もちろん、シナプス可塑性はおこらないのですが、ここにBから強い信号がくると、Aにもシナプス可塑性が生じます。このようにBはAのシナプス可塑性を補助することができるわけです。その結果、Aという事象と、Bという事象がこのシナプスにおいて連結されることになるのです。線路でたとえるならば、異なる路線の電車が乗り入れするようになることと似ています。この性質は「連合性」とよばれ、連合学習の基礎になっていると考えられます。

じつは、これらのことは、半世紀以上も前の一九四九年に、ヘブという神経科学者が考えていたことです。もし、シナプス可塑性が記憶に関係するのならば、「協力性」「入力特異性」「連合性」という三つの性質をもつであろうとするこの考え方は「ヘブの法則」とよばれ、のちの脳研究者に多大な影響を与えました。

4-10 夢かまことか

少し話がややこしくなってきましたので、ここで話をまとめてみましょう。第4章では、初めに大きな視点から「記憶」というものがもつ基本的な性質を論じてきました。そして、記憶は神経回路にたくわえられることがわかりました。この神経回路は互いに作用しあいますから、記憶は大ざっぱでファジーなものになります。

しかし、ファジーであることは生命が生きながらえるうえできわめて重要な側面をもっています。このファジーさを確保するために、脳の記憶は消去法を使っていることも知りました。そして、進化論的に高等な動物であるほどファジー率が高くなります。実際に、私の研究の経験上でも、ネズミは新しいことを記憶できはするものの、ファジー率が低いために、より正確にものを記憶してしまいます。人にくらべれば、どちらかというとコンピューターに近いといえます。その分、一度覚えてしまった記憶はもはや変化しにくく、したがって、新しい環境への適応は苦手のようです。「雀百まで踊りを忘れず」といったところでしょうか。

一方で、私たちはこのファジーな記憶こそが高度な思考や創造を生み出す源泉であることも理解しました。さらに考察を深く掘りすすめ、こうした記憶を神経回路に刷り込ませるためにはシナプス可塑性が必要であることを知りました。そして、シナプス可塑性が記憶の素子であるための条件を考え、ヘブの三原則にまでたどり着きました。いま残された問題は、ヘブの法則を満たすシナプス可塑性が本当に脳に実在するのかということだけです。シナプス可塑性という仮説は机上の空論にすぎないのでしょうか。

「脳は記憶する」――だから、それはきっとそこにあるにちがいない。こう強く信じた神経科学者たちは、その後、まだ見ぬシナプス可塑性の探索の旅にでました。そして、ある日、この信念が確信に変わるときがきたのです。

第5章

脳のメモリー素子「LTP」

情報を貯蔵する海馬のスパイン

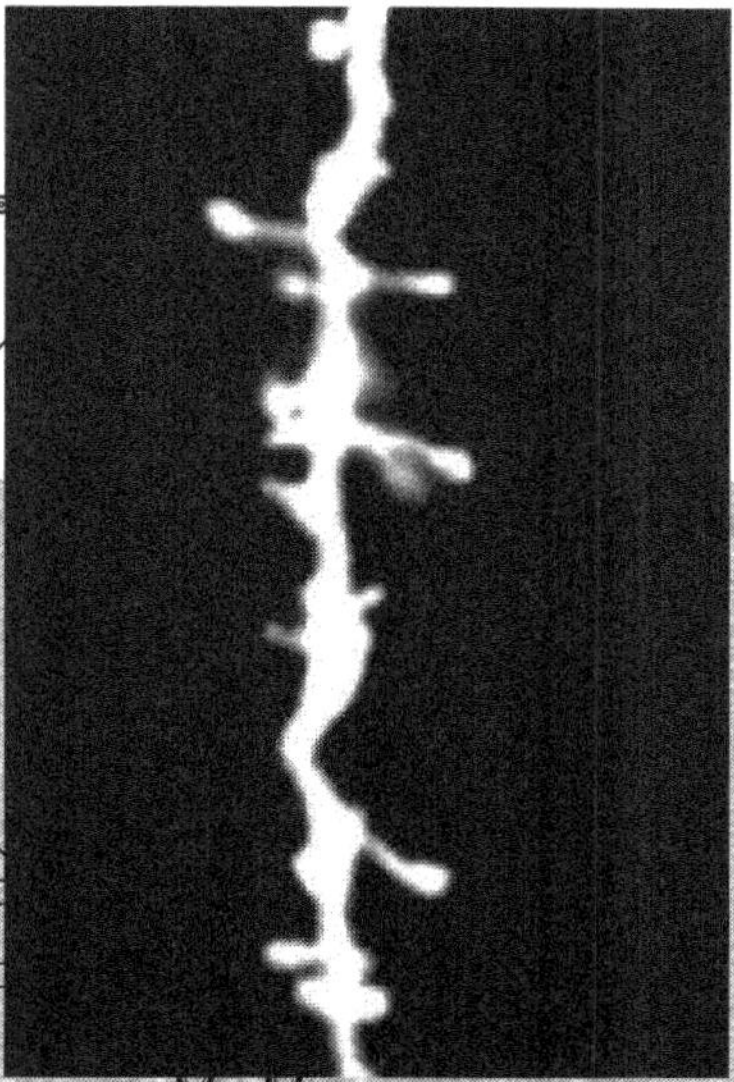

5-1　LTPの発見が世界を変えた

ヘブの学説はデカルト以降もっとも記憶の核心をついた理論として注目を集め、以来、多くの研究者たちがヘブの法則を満たすシナプス可塑性の発見を試みました。

そして、まず、アメリカの神経生物学者トークとカンデルが一九六〇年代に、軟体動物であるアメフラシの神経回路にシナプス可塑性が存在することを示唆しました。その業績が評価され、カンデルは二〇〇〇年のノーベル賞を受賞しました。しかし、神経科学界により大きな衝撃を与えた研究は、ヘブの法則が提唱されてから二〇年あまりがすぎた一九七三年、生理学雑誌に報告されたスウェーデンの神経生理学者ブリスとレモの発見です。この報告によると、二人は、哺乳類であるウサギの海馬でシナプス可塑性を発見したというのです。彼らの発見はこういうものです。

海馬歯状回のシナプスを高い周波数で刺激すると、シナプス伝達の効率は上昇し、この現象は刺激の後、長時間持続した。

ブリスとレモの二人は、シナプス結合の増強が長期的に持続するというこの現象を「長期増強

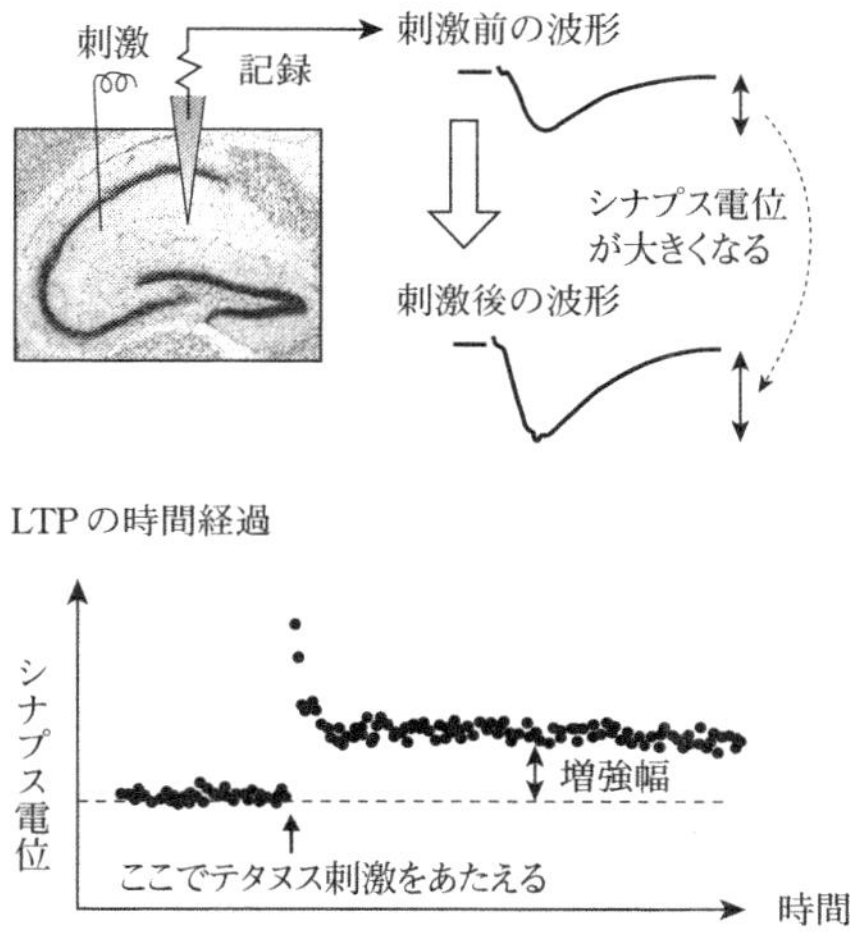

図22　LTPの記録

（long-term potentiation）」と名づけました。この興味深い現象は、その後、盛んに研究されるようになり、いまでは英名の頭文字をとって「LTP」とよばれ、世界中で親しまれています。それでは、このLTPについて詳しく説明しましょう。

脳研究者は、神経細胞の活動を記録するために、きわめて細い金属の針（電極）を脳に刺し、その先端を目的の神経細胞に近づけて活動を記録するという方法を使います。このようにして、神経細胞の活動を電気的に記録し解析する学問を「電気生理学」といいます。ブリスとレモの大発見もまた電気生理学の手法を使って行われたものです。

図22を見てください。右上の波形が、実際にオシロスコープに記録された神経細胞の活

動です。ちょうど「しずく」が落ちる直前のような形をした、下向きにへこんだ波形が記録されているのがわかります。専門的な説明は省きますが、この下向きの波形はシナプス電位が記録されたものです。そして、下向きの波形の大きさ（しずくの高さ）が、シナプス電位の大きさ、つまりシナプスがどれほど強く活動しているかを表しています。神経細胞にとって、シナプス電位の大きさは、活動電位を生むか生まないかの重要な決断のための判断基準なのですから、オシロスコープに記録されたこの下向きのくぼみの大きさは、電気生理学者がもっとも重要視する指標です。

ブリスとレモは、神経活動を記録するために使う電極のほかに、さらにもう一本、神経細胞を刺激するための電極も同時に脳に挿入しました。そして、その電極を使って、神経細胞を一秒間に数百回という高い周波数で刺激し、神経細胞を強く活性化させました。すると、シナプス電位は瞬時に大きくなり、しかも、この増大が数時間から数日も持続したのです。これがＬＴＰです。このＬＴＰを引きおこすための高周波数の電気刺激を「テタヌス」とよびます。

もちろん、シナプス電位が大きくなったということは、シナプスの伝達の効率が上昇したということにほかなりません。シナプスを電車の駅にたとえるならば、路線の「時刻表」が変わって、その駅が盛んに利用されるようになったということです。第４章で述べたようなシナプス可塑性は、まさに予言どおり脳に存在したというわけです。しかも、記憶に深く関与している海馬に存在したのです。

図22の下にＬＴＰの時間経過のグラフを載せました。このグラフにあるように、テタヌスを海馬に与えると、一瞬にしてシナプス電位が大きくなって、そのまま高いレベルを維持していることがわかります。テタヌスはそのときに一回だけ与えたのみです。それなのに、その後、シナプス電位は増大したレベルをずっと保持しているのです。シナプスはテタヌスが入力されたということを、まさに「記憶」しているのです。

シナプスが記憶するというブリスとレモの発見は、神経科学界に大きな影響を与えました。そして、この世紀的な大発見に追随するように、世界中の脳研究者がＬＴＰを詳しく調べ始めました。ＬＴＰが初めて見つかった場所は、ウサギの歯状回ですが、その後の研究で、歯状回だけではなくＣＡ３野やＣＡ１野など海馬のほかのシナプスでもＬＴＰが観察され、さらには、ウサギだけではなく、人を含むすべての動物の海馬でもＬＴＰが観察されることが確かめられました。つまり、ＬＴＰは海馬における普遍的なシナプス可塑性であったわけです。実際に、図22のグラフは私の研究室で記録されたＬＴＰですが、これはネズミのＣＡ１野から得られたデータです。

また、テタヌスについても詳しい検討がなされた結果、テタヌスを「θリズム」のタイミングで与えると、もっとも効率よくＬＴＰを誘導できることがわかりました。第2章で述べたように、θ波は、ものごとに興味をもって見つめたり考えたりするときに海馬が発する、いわゆる「ベー

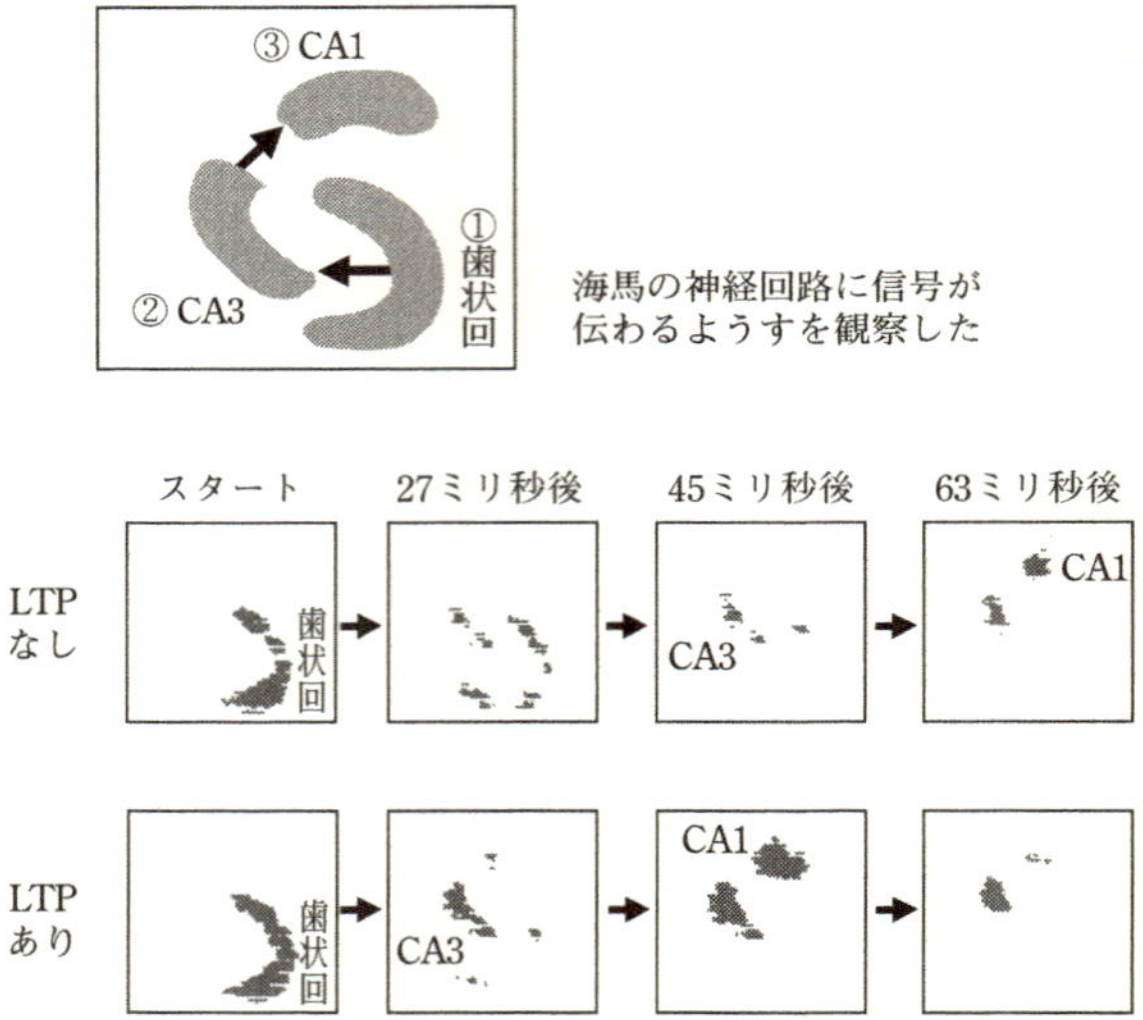

図23　より強く，より速く，より遠くへ

トーベンの運命」のリズムですから、これはとてもおもしろい事実であると思います。興味のあることは覚えやすいということは私たちも普段から経験しています。LTPもまた、興味をもっているという刻印であるθリズムの信号のときにもっとも発生しやすいのです。

ところで、LTPは、海馬の神経回路にとって、実質的にどのような意味があるのでしょうか。最近、私の研究室でこの疑問に対し明確な答えを与える実験が行われました。その結果が**図23**です。これは、神経活動を光学的に観察する特殊な技法を使って、海馬の神経回路を信号が時計回りにくるりと回る決定的な瞬間をとらえたものです。世界でもこの手法を扱える研究室はほとんどなく、まさに最先端の技術といえるでしょう。

この図では、神経伝達の様子を見やすくするために、神経細胞が活動している部分に影をつけて表示してあります。左上の模式図で表したような、歯状回→ＣＡ３野→ＣＡ１野の順番に三つのシナプスを介する神経伝達が、下のデータから読みとれます。上の段「ＬＴＰなし」がテタヌスを与える前の海馬、つまりＬＴＰを生じていない海馬で記録したものです。そして、下の段「ＬＴＰあり」がテタヌスを与えてＬＴＰを引きおこした海馬で記録したものです。

この結果から、二つのことがわかります。まずひとつ目は、ＬＴＰによって神経伝達が明瞭に観察されるようになるということです。「ＬＴＰあり」のほうが、ＣＡ３野やＣＡ１野の部分の面積がより広くなっています。そして二つ目は、ＬＴＰがおこると神経伝達の速度が上昇するということです。「ＬＴＰなし」では神経活動がＣＡ１野の部分まで達するのに六三ミリ秒も要していますが、「ＬＴＰあり」では四五ミリ秒ですでに十分に伝わっています。伝達速度が約三〇％も速くなっているのです。

要するに、情報を「より強く」そして「より速く」伝えるという現象がＬＴＰなのです。電車の線路網の例でいえば、ＬＴＰとは「路線図」（歯状回→ＣＡ３野→ＣＡ１野という順番）を変化させずに、「時刻表」（情報の量と到達時間）だけを変更する典型的なシナプス可塑性であることがこの結果からもわかります。

5－2　耳をそばだてるＬＴＰ

複雑な図やグラフを使って説明しましたから、少し頭が混乱してしまったかもしれません。ここでもう一度まとめてみましょう。簡単にいってしまえば、ＬＴＰとはシナプスが記憶するという現象です。具体的には、強い刺激がくると、それまであまり活動していなかったシナプスが突然活発になるということです。そして、活発になったシナプスは、その後もずっとその活発な状態を維持します。シナプスを「学生」にたとえれば、授業中に居眠りばかりしていた学生が、先生に叱られて、急にまじめに授業を受けるようになったというようなものです。授業をどれほどしっかり聞いていたかという集中率が「シナプスの伝達効率」で、先生の叱咤が「強い刺激（テタヌス）」ということです。結果として、この学生のテストの成績が上昇します。そんなイメージで理解してもらえればよいと思います。

それではつぎにＬＴＰのメカニズムについて考えましょう。シナプスの伝達効率が上昇するという現象であるＬＴＰを、もっとミクロな視点で眺めたら、いったいどういう現象がおこっているのでしょうか。シナプスは電気信号を化学信号に変えて、それをまた電気信号に戻す場所です。ですから、シナプスの伝達効率が上昇するということは、これらの一連の手順がスムーズに進行するようになるということです。

ということは、電気信号から化学信号への変換か、もしくは、化学信号から電気信号への変換のどちらかがより能率的に行われるということを意味しています。もっと具体的にいうと、神経伝達物質が放出されやすくなるか、シナプス電位が作られやすくなるか、ということです。神経伝達物質の放出はシナプス前側のメカニズムで、シナプス電位の生成はシナプス後側のメカニズムです。つまり、LTPのメカニズムはシナプスの前側か後側のどちらかにあると考えられるわけです。要するに、生徒がまじめに講義を聞くようになるには「授業がおもしろくなる」か「生徒にやる気が出る」かのどちらかであろうと、脳科学者は考えたわけです。

それでは、LTPはシナプスの前側と後側のどちらで生じているのでしょうか。LTPが発見されてから現在までの約三〇年間にわたり、神経科学界ではこの問題に関して長い論争が続けられてきました。しかし、米国の神経生理学者マリノウの研究グループは一九九九年のサイエンス誌において、この疑問に対し非常に美しい結論を出しました。これを皆さんに説明する前に、もう一度、海馬のシナプスについて復習をかねて詳しく説明します。

すでに述べたように、海馬の神経伝達物質は「グルタミン酸」です。そして、シナプス後側のスパインにはグルタミン酸の受容体があります。ですから、海馬では、このグルタミン酸とその

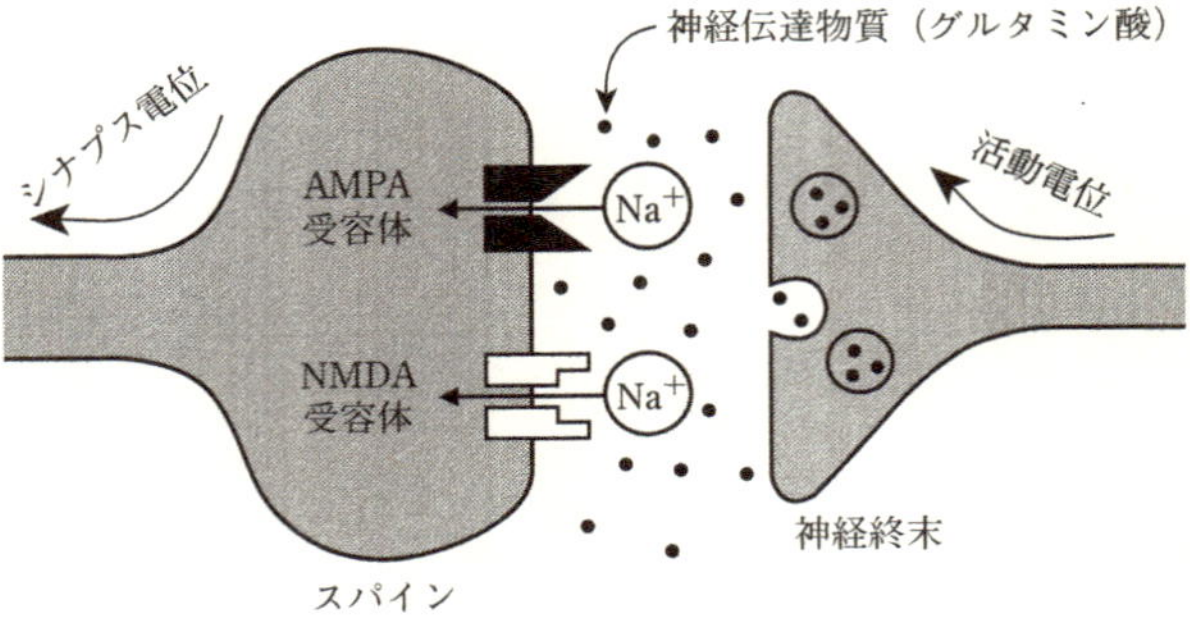

図24　海馬のシナプスには2種類の受容体がある

受容体が結合してシナプス電位をつりあげています。ところが、おもしろいことに海馬のシナプスがもっているグルタミン酸の受容体は一種類ではないのです。現在までに何種類かが見つかっていますが、そのうちとくに重要なものは「ＡＭＰＡ受容体」[*2]と「ＮＭＤＡ受容体」[*3]です。いきなり英字がでてきてわかりにくいかもしれませんが、後の話でとても大切な鍵となりますので、ぜひこの二つの受容体の名前を覚えてください。**図24**にＡＭＰＡ受容体とＮＭＤＡ受容体の模式図を載せました。

この二つの受容体はどちらもナトリウムイオンを通すチャネルをもっていますから、シナプス電位を作ることができる電気信号の変換装置です。しかし、なぜ、海馬はわざわざ二種類の受容体をもっているのでしょうか。きっと、それなりの意味があるはずです。

じつは、通常のシナプス活動で使われるのはＡＭＰＡ受容体だけなのです。なぜなら、ＮＭＤＡ受容体は、Ａ

＊2　AMPA: α-amino-3-hydroxy-5-methylisoxazole-4-propionic acid
＊3　NMDA: *N*-methyl-D-aspartate

ＭＰＡ受容体とくらべて、かなり反応が鈍いからです。つまり、センサーでグルタミン酸を感知しても、ＮＭＤＡ受容体のチャネルはなかなか開かないのです。ですから、ＮＭＤＡ受容体を開かせるためには、よりたくさんのグルタミン酸で刺激しなければなりません。シナプスに強い信号が入ってきてようやくＮＭＤＡ受容体が反応するのです。簡単にいってしまえば、神経細胞にテタヌスを与えたときにだけＮＭＤＡ受容体が開きます。それ以外のときは、海馬はもっぱらＡＭＰＡ受容体を使っています。

そしてもうひとつ、ＮＭＤＡ受容体にはとても重要な特徴があります。それは、このチャネルが「カルシウムイオン」を通すということです。つまり、テタヌスを与えるとＮＭＤＡ受容体が開いて、神経細胞にカルシウムイオンがどっと流れ込むのです。一般に、カルシウムイオンはすべての体の細胞にとって非常に大切な意味をもっています。その意味とは、カルシウムイオンの話だけで何冊もの本が書けてしまうくらい奥深いものです。

もちろん、神経細胞でもそれは例外ではなく、カルシウムイオンが入ってくると、神経細胞の中は騒然としてさまざまな活動を始めます。英国の薬理学者コリングリッジは一九八三年の生理学雑誌に、ＮＭＤＡ受容体を開かなくしてしまう薬を使うと、テタヌスを与えてもＬＴＰが生じなくなることを報告しました。裏を返せば、ＮＭＤＡ受容体のチャネルを通ってカルシウムイオンが流れることがＬＴＰには必要であるということになります。

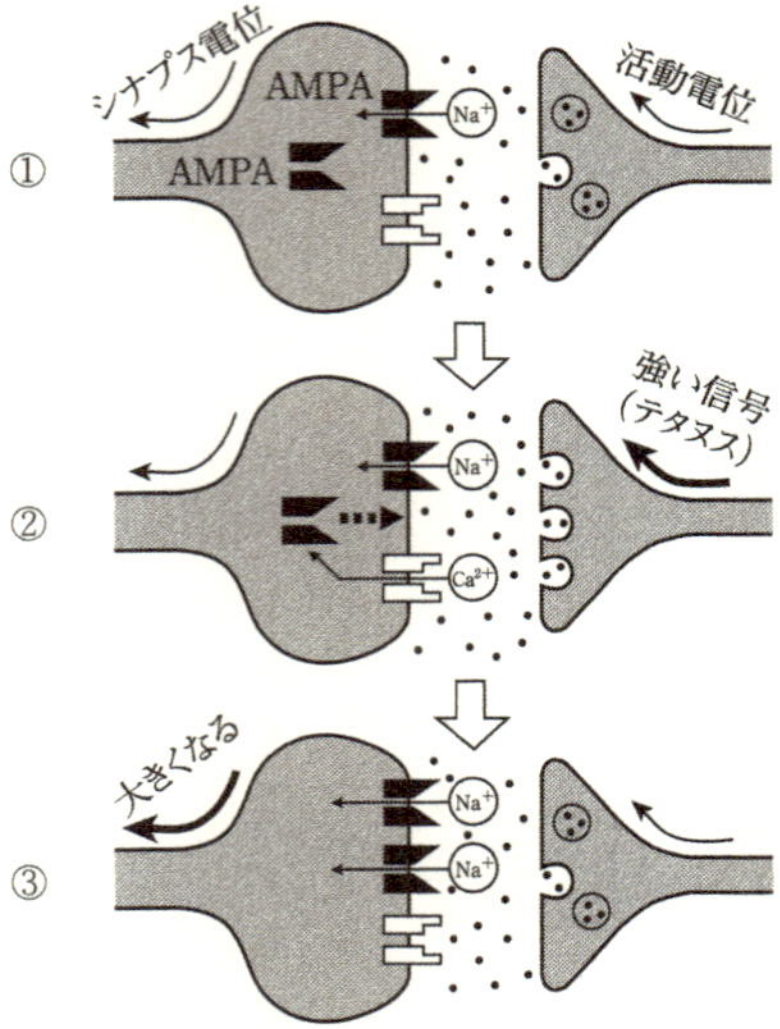

図25　LTPはこうしておこる

これで、ＮＭＤＡ受容体を通るカルシウムイオンの重要性は理解できましたが、しかし、これだけではもちろんＬＴＰという現象を説明したことにはなりません。最近の研究によると、シナプス後側のスパインの中にはカルシウムセンサーがあることがわかっています。したがって、ＬＴＰをおこすためにこのセンサーが何をしているのかが議論の焦点になります。その答えを導くために、世界中の研究者は躍起になって、さまざまな仮説を検討してきました。そしてついに、マリノウが美しく簡素な結論を出したのです。それは、カルシウムセンサーがはたらくとＡＭＰＡ受容体が増えるというものでした。

図25を見てください。AMPA受容体はシナプスだけではなく、なんとスパインの中にも存在していたのです。もちろん、スパインの中のAMPA受容体は外のグルタミン酸を感知できませんからシナプス伝達には参加できません。いわば、あそびの在庫品のようなもので、まったく役にたたない受容体です。しかし、テタヌスによってカルシウムセンサーが起動すると、この在庫のAMPA受容体がシナプスに移動して、はたらく受容体に変わるのです。その結果、シナプスにはAMPA受容体の数が増えますから、ナトリウムイオンの流入量も増えます。そして、シナプス電位が大きくなり、伝達効率が上昇するのです。

こうして、LTPはシナプス後側の単純なメカニズムで生じていることが明らかになりました。授業のたとえでいえば、先生の話がおもしろくなったのではなく、居眠りしていてはやばいと耳を（AMPA受容体を）そばだて（増やし）、授業をまじめに聞くようになったということだったのです。

こういうミクロな話に立ち入ると皆さんも感じることと思いますが、生命を司る現象は、まさに精密機械そのものです。LTPという現象を巨視的に見れば、饒富《じょうふ》たる脳の機能を担うシナプス可塑性として神秘的ですらあるのですが、分子レベルで見れば、それはみごとに精細であるけれども、結局は一連の機械的な反応にほかなりません。グルタミン酸が放出されて、NMDA受容体が開き、カルシウムイオンが流入し、AMPA受容体がシナプスに挿入される。これがLT

Ｐの実体です。化学反応です。

これをおもしろいと感じるか、あじけないと感じるかは、皆さんの自由であると思います。しかし、肝心なことは、こうしたメカニズムが解明されることによって、医療が大きく進歩するという事実です。ガンにしても、糖尿病にしても、高血圧にしても、同じことです。体の化学反応の破綻、それこそが病気です。ですから、この化学反応を詳細に知ることで、疾患の治療法や予防法を確立することができるのです。ＬＴＰに関するこうした知見が薬の開発に活かされる実例は第7章で紹介したいと思います。

5-3 ＬＴＰこそが脳の記憶なのか?

ＬＴＰの性質やメカニズムがこのようにつぎつぎと詳しく解明され、ＬＴＰは神経細胞のもつ重要なシナプス可塑性であるという事実は揺るぎないものになりました。しかし、ここまで話しても、まだ皆さんにはＬＴＰに対する根本的な疑念が残っていると思います。それは、ＬＴＰは、本当に記憶や学習の基礎メカニズムなのかという疑問でしょう。

ＬＴＰは海馬で見つかっていますから、いかにも記憶に関係がありそうな気がします。しかし、海馬にあるという事実だけでは、決定的な証拠にはなりえません。もちろん、記憶にとってシナプス可塑性が必要であることは確実でしょう。しかし、だからといって、シナプス可塑性の一例であるＬＴＰが、記憶の素子であるとは限らないのです。また、現在ではより高度な電気生理学の研究が行われ、ＬＴＰは、実際に「協力性」「入力特異性」「連合性」というヘブの法則を満たすということも確認されました。しかし、それすらも、あくまでも必要条件であって十分条件ではありません。つまり、ＬＴＰというシナプス可塑性が、ヘブの法則を満たしたからといって、これこそが記憶の基礎メカニズムであるという保証はないわけです。こうして考えると、いま、ＬＴＰに対して晴らされるべき疑念は、ＬＴＰこそが記憶なのかということになります。この疑問点が明かされなければ、ＬＴＰについてこれ以上語ることは無意味となるでしょう。しかし、皆さんのこの疑問に対して、期待どおりの答えが用意されています。ＬＴＰはおそらく記憶に深く関係しているでしょう。これを裏付ける証拠をいくつか紹介します。

まず、イギリスの精神医学者マークバンクスが一九九三年に報告した研究です。彼は水迷路試験を行いながら、学習をしているネズミを注意深く観察して、ある重要な事実に気がつきました。それは、もの覚えのよいネズミと悪いネズミがいるということです。「なんだ、そんなことか」と思った皆さんもいるかもしれません。確かに、いかにも当然のことです。しかし、研究者はそうしたあたり前のことでもけっして見落としてはいけません。たとえ、リンゴが落ちただけであっても、その裏にある真実を見逃してはいけないのです。彼はこれらのネズミを成績順に並べ、一匹ごとにＬＴＰを記録していきました。そして、動物の学習能力と海馬のＬＴＰの大きさには正の相関があることを発見したのです。つまり、記憶力のよい動物ほどＬＴＰが起きやすいということです。逆に、もの覚えのよくない動物では小さなＬＴＰしか生じませんでした。これは、ＬＴＰのおきやすさと学習能力が深く関連していることを示しています。

さらにおもしろい実験があります。カナダの心理学者スケルトンの研究です。彼はオペラント課題を学習している最中のネズミの歯状回からシナプス電位を記録しました。するとどうでしょう。学習が進むにつれて、どんどんとシナプス電位が大きくなっていくのです。あたかもテタヌスを与えたときのように、シナプス電位が大きくなっていくのです。この事実は、歯状回の神経細胞が学習に使われると、シナプスの伝達効率がよくなるということを意味しています。つまり、学習に伴って海馬でＬＴＰが生じることを実際に証明してみせたというわけです。

そして、ＬＴＰと記憶の関係をより強く結びつける研究が英国の実験心理学者モリスによって報告されました。モリスはＮＭＤＡ受容体を開かなくしてしまう薬をネズミに投与してみました。もちろん、このネズミではＬＴＰは生じません。そして、この薬を投与された動物は、水迷路試験やオペラント課題をうまくこなせないことがわかりました。つまり、ＬＴＰが作動しないと記憶ができないのです。この結果は、ＬＴＰという現象がものごとを記憶するために必要であるということを如実に示しています。

また、現在のようにきわめて高度なバイオ工学の技術が開発された世の中においては、驚くべきことが可能になりました。遺伝子操作をほどこすことで、LTPがおきない動物を作り出すことに成功したのです。遺伝子からLTPに必要な機械分子の情報を取り除いてしまったのです。まず、一九九二年にカルシウムセンサーのない動物が、そして、一九九六年にはNMDA受容体のない動物が作られました。これらの動物は外見上は健康なのですが、LTPは当然まったく生じません。そして、学習テストを行ってみると、気の毒なことに、記憶力もひどく劣っていることがわかりました。ちなみに、カルシウムセンサーの欠如した動物を作成した人は、我が国の誇るノーベル賞受賞者利根川進です。

さて、このくらい実例を列挙すれば、LTPは記憶の分子メカニズムであるという確信を皆さんにもってもらえると思います。ただし、世の中にはまだ慎重な研究者がいて、これでも証拠不足だと力説している人も（少数派ではありますが）います。しかし、LTPのほかに記憶の基礎をなすシナプス可塑性のよい例がないということも、LTPと記憶の関連性を強く支持するものとなっています。最後に、もうひとつ衝撃的な研究を紹介しましょう。それは哺乳類ではなく、なんと金魚を使って行われた実験です。一九九八年のネイチャー誌に報告されました。

5-4 SFの世界が現実になった日

金魚の脳に海馬はありません。それでも簡単な記憶くらいはできます。それは海馬のかわりをする神経回路があるからです。もっとも、海馬ほど高性能ではありませんから高度な記憶はとても無理です。しかし、逆に、単純な神経回路だからこそ研究の材料として取り組みやすい格好な対象になるはずです。そう考えた大阪大学の小田洋一は、金魚が突然音を聞くと音とは反対の方向に逃げるという習性があることに着目しました。

小田はバケツに金魚を入れて、何回もボールを水面に落とすという実験を行いました。初めのうちは、ボールが落ちるたびに驚いて逃げていた金魚も、何度も何度もボールがくれば、少しずつ慣れ、そのうちに反応しなくなります。つまり、このボールは危険ではないと「記憶」したのです。もちろん、金魚の記憶力はそれほど高くありませんから、ボールの落下が一時間ほど連続して続かなければ覚えてくれません。

さて、金魚の神経回路は単純なのでかなり詳細に解明されています。音から逃げるという行動を引きおこす神経回路も詳しくわかっていますし、また、逃避しなくてもよいことを記憶する神経回路もわかっています。そこで、小田が行った実験は明快です。逃避しなくてもよいことを記憶する神経回路にＬＴＰを誘導してみたのです。すると、その直後から、金魚はまったくボール

金魚だってLTPをつかって記憶する

に反応しなくなりました。つまり、これから落ちてくるボールは危険ではないということを記憶したのです。

この実験にはとても奥深い意味が含まれています。小田は、ＬＴＰを使って金魚に記憶を植えつけることに成功したのです。動物に記憶を人為的に植えつけた実験はこれが初めての例です。かつて私は、小説を書くために取材をしているという人から「記憶を書き換えることは可能なのか？」と尋ねられたことがあります。もちろん、そのときは、そんなＳＦめいたことなどできるはずがないと思いました。しかし、小田の研究は、金魚とはいえ、人工的にその個人が経験したことのないはずの仮想的な記憶を植えつけることができるのだということを確固として示しています。しかも、いま話題のＬＴＰを使ってです。とても感銘を与える研究です。近い将来、人に記憶を植えつけるという、そんなＳＦのような世界が現実になる日がくるのかもしれません。そんな時代になったら、もはや学校の退屈な授業などいらなくなるでしょう。学校で学ぶ知識はＬＴＰを使って脳に刷り込んでしまえばよいのですから。ＬＴＰの研究を通して未来に思いを馳せると、そんな楽しい想像も膨らんできます。

5－5　鏡の世界のＬＴＰ

ＬＴＰという「シナプス可塑性」が、海馬に存在することはよくわかりましたが、反対に、神経細胞がもつシナプス可塑性はＬＴＰだけなのかという疑問がまだ残っています。シナプスの伝達効率を変化させる方法はＬＴＰしかないのでしょうか。しかし、この答えは少し考えてみれば明らかです。

ＬＴＰには飽和するという性質があります。つまり、ＬＴＰはもうここまでしかおこらないという上限値があるのです。それもそのはずです。在庫のＡＭＰＡ受容体がシナプスに挿入されるという現象がＬＴＰなのですから、その在庫が尽きてしまったら、もうそれ以上のＬＴＰはおこりません。ということは、脳のすべてのシナプスにＬＴＰがおこってしまったら、脳はもはや何も記憶できなくなってしまうということになります。脳にそんな使用限界があっては困ります。ですから、LTPを「消す」という作業がどうしても必要になります。つまり、AMPA受容体をふたたび倉庫に戻して、シナプス伝達効率を下げるという作業です。

この現象のことを、「長期抑圧（long-term depression）」といい、やはり頭文字をとってLTDとよばれています。LTDはLTPの裏返しの現象なので、この二つのシナプス可塑性は鏡の関係にあるといってもよいかと思います。そして、海馬のシナプスでLTDが実際に発見されました。しかも驚くべきことに、LTDもまたテタヌスで誘導することができるのです。ただし、LTPをおこすときとはちがい、LTDをおこすためには周波数が低いテタヌスを使います。つまり、テタヌスの周波数を使い分けることによって、海馬のシナプスはLTPもLTDも示すというわけです。

海馬で観察されるシナプス可塑性は主にLTPとLTDです。しかし、LTPとくらべるとLTDの役割はまだあまりわかっていません。現在考えられているLTDの役割を**図26**に示しました。ひとつ目は、すでに述べたように、生じたLTPをもとに戻すためにLTDが使われるというものです。これはとてもわかりやすい考え方です。

しかし、LTDにはもうひとつ大切な役割があるといわれています。それは脇役としてLTPをもり立てるという役割です。たとえば、**図26**の**2**のように、A、B、Cの三つのシナプスがあ

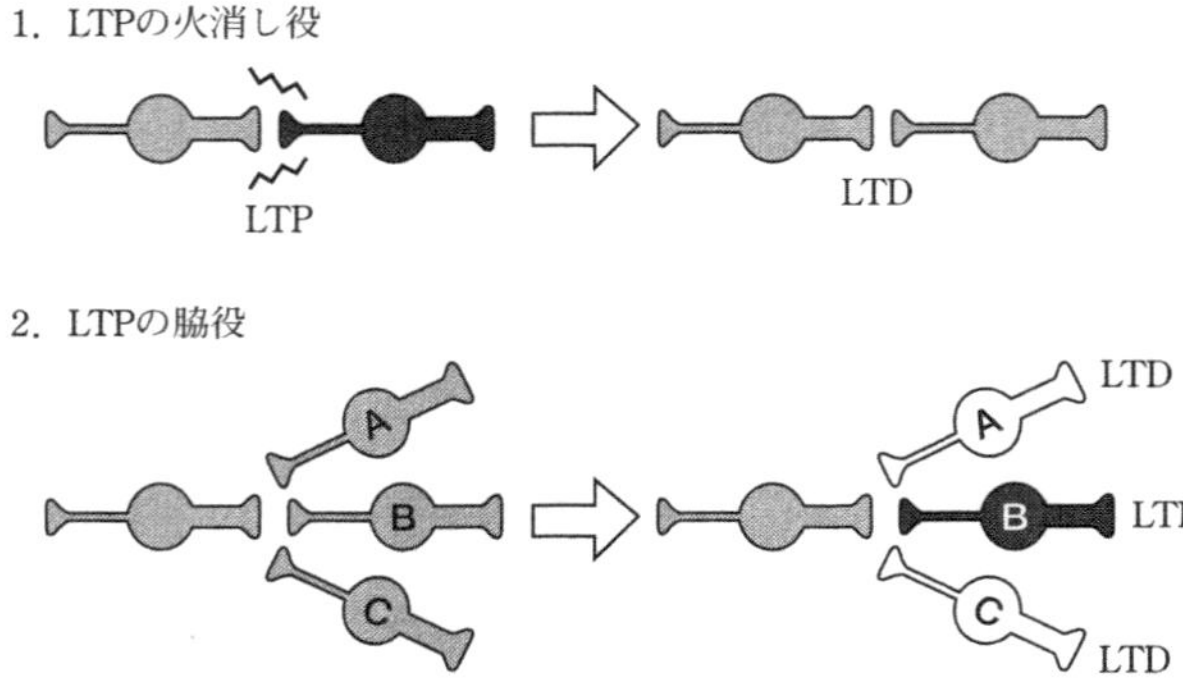

図26 LTDの役割は？

ったとします。そして、ＢにＬＴＰがおこったとします。そのとき、もし残りの二つのシナプスにＬＴＤが生じると、ＢのＬＴＰはより目立つようになります。Ｂのシナプス伝達効率は上昇し、ＡとＣは低下するわけですから、神経回路全体として見ればＬＴＰの輪郭が明瞭になります。ＬＴＰ単独のときよりも、ＬＴＤが存在するとＬＴＰの存在が相対的にアピールできるというわけです。学校の勉強でいえば、自分の成績が上がると同時に、周囲の成績が下がったほうが、偏差値がより上昇するようなものです。ヘブの法則によると、シナプス可塑性には「入力特異性」という性質があります。ＬＴＰはおこるべき本命のシナプスだけに生じるというものです。つまり、ＬＴＤはＬＴＰを相対的に際立たせることで、ＬＴＰの入力特異性を高める役割もできると考えられます。縁の下の力持ちといったところでしょうか。

このように、脳はＬＴＰとＬＴＤという二つの相反する現象をうまく使いこなして記憶をしています。「記憶」はＬＴＰとＬＴＤの絶妙なバランスのうえに成りたっているのでしょう。

５－６　情動が作る思い出

ブリスとレモの発見以来、ＬＴＰは非常に精力的に研究されてきています。もちろん、ＬＴＰの研究が「記憶」という魅力ある未知の分野の開拓につながることを期待して、多くの研究者たちが力を注いできたのです。そうしたさまざまな研究の中で、いままで私が説明してきたＬＴＰの研究のほとんどは、細胞レベルや分子レベルに向かうミクロな視点に立ったものです。しかし、ＬＴＰの研究には、もうひとつの逆の流れがあります。それはより大きな視点に立った研究です。

たとえば、動物にストレスを与えると、ホルモンのバランスが崩れ、ＬＴＰが形成されにくくなるということが知られています。つまり、ストレスは記憶力の妨げになるというわけです。また、動物にアルコールを飲ませるとＬＴＰが弱まります。これは、酒の飲みすぎで記憶が失われる「アルコール性健忘症」とよばれる症状に相当します。日常的に誰もがなんとなく気づいているそんな事実を、ＬＴＰの研究がこうして説明してくれるのです。

このような研究はＬＴＰの分子メカニズムを追究するという視点には立ってはいません。むしろ、ＬＴＰという現象をより大局的にとらえて、私たちの日常との橋わたしを意図しています。私はこうした研究の視点を「マクロ」とよんでいます。マクロな研究は、最先端の脳研究を日常のレベルに還元するために必要なのです。最後に、こうした数あるマクロなＬＴＰの研究から、興味深い話題をひとつ取りあげたいと思います。

私たちは誰でも「思い出」というものをもっています。思い出はエピソード記憶ですから、もちろん立派な「記憶」です。いま何でもよいから過去の「思い出」を何か思い出してくださいといわれたら、人それぞれ思い出すことはさまざまでしょう。しかし、思い出が人それぞれであったとしても、共通している部分があります。それは、楽しかったこと、悲しかったこと、驚いたことなど、とにかく喜怒哀楽といった感情が思い出には絡んでいるということです。逆に、それだけ感情や思い入れが深かったからこそ、いまでもこうして「思い出」という記憶となって人の脳の中に残っているともいえます。

快楽、悲哀、恐怖、驚愕なども含めた喜怒哀楽の感情の動きのことを「情動」とよびます。そして、この話の流れからすると、情動が絡んだ事象はよく覚えていられるということになります。情動が記憶の形成を促進していると言い換えてもよいでしょう。

情動は、海馬のすぐ隣にある「扁桃体《へんとうたい》」とよばれる直径１センチメートルほどの球型をした脳部位から生まれてきます。実際に、扁桃体の神経細胞が活発になると情動を生じることが人や動物で確認されています。たとえば、扁桃体を刺激された動物はさまざまな感情的な行動をおこしますし、また逆に、扁桃体が破壊されると、動物は感情が薄れ無気力になってしまいます。

おもしろいことに、扁桃体が活動すると海馬のＬＴＰが大きくなります。テタヌスと同時に扁桃体を刺激すると非常に大きなＬＴＰが生じるのです。また、通常ではＬＴＰを生じないような微弱なテタヌスでも、扁桃体が刺激されているときにはＬＴＰが形成されます。つまり、普段だったら記憶されないような些細なことでも、情動が絡むと記憶されるというわけです。まさに「思い出」です。

ヘブの法則には「協力性」というものがありました。ＬＴＰをおこすテタヌスの強さには「閾値」があるというものです。したがって、扁桃体の神経活動はＬＴＰをおこすテタヌスの閾値を下げると考えることもできます。こういう仕組みで、私たちが日常体験することの多くの事象の中から、情動が関与する事象が選択され、「記憶」となり、そして「思い出」となっていくのでしょう。

しかし、いうまでもなく、動物には思い出などという風流なものはありません。じつは、扁桃体が記憶を促進するという現象は、動物にとっては生存そのものにかかわる深い意味があります。動物は恐怖を体験した事象をきちんと脳に記憶して、つぎに同じような状況が巡ってきたときに、効率よく危険を回避しなければなりません。その危険を初めての遭遇のときにしっかりと記憶できるか否かは動物にとって命にかかわる重大な問題です。そのメカニズムこそが情動による記憶の促進なのです。これによって、動物は危険な思いをした経験を、しっかりと覚えていられるようになるのです。

つまり、これは、人がまだ進化する前の下等な動物であったころからずっと脳に保持されている特別な性質なのです。現代の都会生活の中では、生命にかかわるような危険はそれほど多くはありませんが、進化の過程で培われたこの特殊な記憶力はいまだに人の脳に痕跡として残っています。思い出を作るという情趣のある人間の所作は、動物たちの命をかけた戦争のいわば遺産ともいえるものなのです。

5-7 夢の続き

本章で述べたように、人がものを覚えるという、あまりにも日常的で、普段は当然のようにさえ考えてしまう「記憶」の仕組みが、ようやく解明されつつあります。そして、こうした研究の中で、LTPという魅力的なシナプス可塑性に注がれている世界の研究者たちの熱いまなざしが果たした役割はきわめて大きいといえるでしょう。じつは、いまここで述べた扁桃体とLTPの関係は、私自身が学生時代に世界で初めて明らかにした事実です。そして、いまでは世界の多くの研究者がこのようなマクロな視点でＬＴＰを見つめています。

そして現在、マクロなＬＴＰの研究は、記憶のメカニズムの解明に向けてまったく新しいアプローチ方法としての地位を築きました。記憶の性質を「ＬＴＰ」という眼鏡を通して眺めることで、じつにさまざまな現象が、実質的なレベルで説明がつくようになるのです。脳の外側から記憶を眺めていただけではわからなかった記憶の性質すらも明かされてきています。現在の脳科学においてＬＴＰは、記憶という脳の機能を解き明かすうえで、もはや欠くことのできない強力な武器なのです。

確かに、ＬＴＰが記憶の基礎メカニズムなのかという問いに対しては、いまだに慎重な研究者もいます。しかしながら、仮にこうした異論があったとしても、過去の膨大なＬＴＰの研究が、記憶のメカニズムの解明に向けて注目すべき役割を演じたことは揺るぎのない事実です。脳科学の進歩はとても速く、今後、この分野がどのように展開していくのか正直なところ予想すらつきません。それでも、少なくとも一歩一歩、未踏の領域へ足を踏み入れていけることを確信して、私は研究を続けています。そして近い将来、「記憶」の実体を解明して知識欲が満足されるとともに、さらに、この成果を活かして痴呆疾患の治療法や予防薬の開発といった夢が現実になることを夢見ているのです。

第6章

科学的に記憶力を鍛えよう

光る脳：クラゲの蛍光分子の遺伝子をネズミに組み込んだ

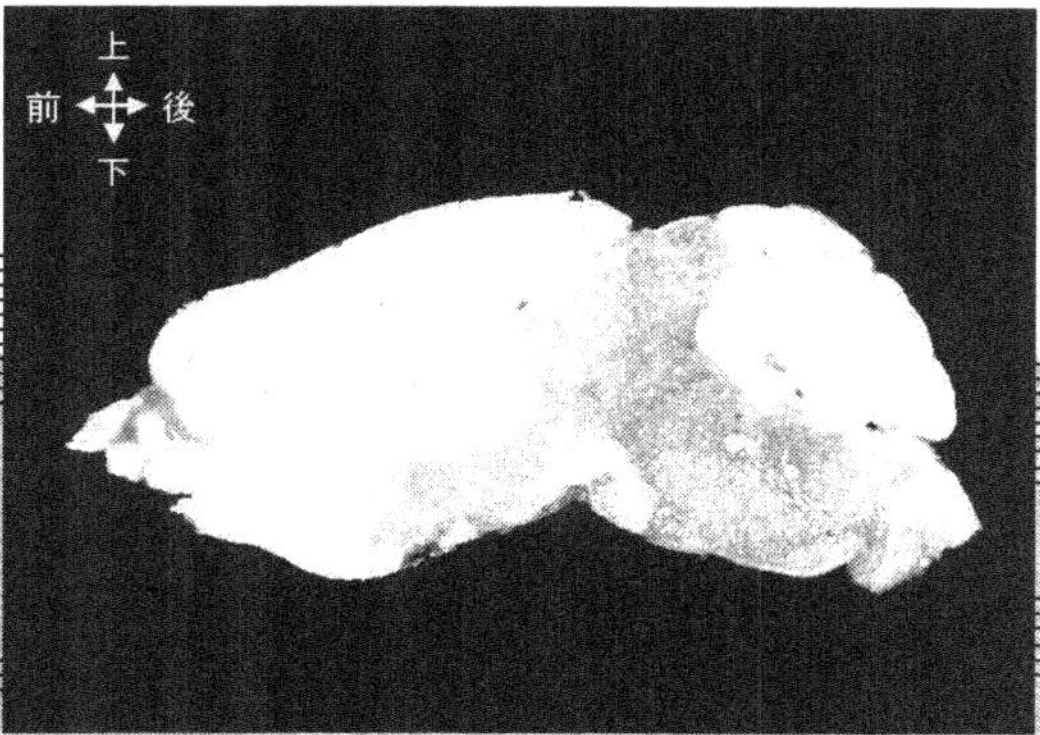

6-1 覚えられないのか、それとも覚えないのか

「記憶術」や「暗記法」など、記憶力を高めるための本や解説書が巷に多く出まわっています。古くはギリシャ時代に、すでに、そうしたたぐいの書物が書き残されています。それほど昔から「記憶」という難物に人間が悩まされてきたということなのでしょう。人はものを覚えます。しかし、ときに、より多くのものを覚えたいと欲します。そして、自分の記憶力の限界に落胆します。また、覚えたことを必要なときに思い出せずに困惑することもあります。もっと記憶力を高めたい。きっと誰もがそんな願望を抱いているのでしょう。

しかし、脳には脳の性質というものがあります。この性質にしたがわないと、いくら努力しても記憶力はいっこうに向上しません。そこで、ここでは、その性質に逆らうことなく、むしろ、それを利用して効率的に記憶力を鍛える方法を、科学的な見地から検証したいと考えています。ですから、巷にあふれているような根拠のうすい記憶術を、この本で繰りかえし書くようなことはしません。ここでは、皆さんがこれまでにこの本で学んだ記憶の性質、神経細胞の性質、シナプスの性質、ＬＴＰの性質を復習しながら、どうしたら能率的に記憶できるのかを理論的にそして実践的に考えてみたいと思います。

本題に入る前に、まず皆さんにぜひ心に留めておいてほしいことがあります。それは年齢と記

憶の関係です。「ちかごろ記憶力が落ちて……」「最近もの忘れが激しくて……」などとよくグチをこぼす人がいます。確かに、頭脳のはたらきは一七歳あたりまでがもっとも活発で、その後は徐々に低下すると世間ではいわれています。しかし、これは本当でしょうか。脳を詳細に調べてみると、確かに、神経細胞の総数は歳とともに減っていきますが、シナプスの数はむしろ反対に増えていくことがわかります。つまり、神経回路は年齢を重ねるにしたがって増加していくのです。この事実は、若い頃よりも歳をとったほうが記憶の容量が大きくなるということを意味しています。

それなのに人は「歳のせいで覚えが悪い」と嘆きます。この嘆きはたいへんな間違いで、私から見れば、そういう人は単なる努力不足であるように思います。そしてまた、昔自分がものを覚えるために、どれほど努力したのかを忘れているのです。勉強がその生活の大半を占める学生時代でも、ひとつのものごとを習得するのに、かなりの時間と労力を必要としたはずです。こうして苦労した経験を忘れ、ただただ老化を嘆くのはとても愚かな行為です。

一方、「もの忘れがひどい」とグチをこぼす人がいますが、それもまた、忘れてしまって思い出せないのではなく、単に初めから覚えていないということではないでしょうか。覚えたつもりになっている、その勘違いは記憶力の停滞を引きおこすことがあります。もし、皆さんが、いままでこうしたグチをこぼしていたとしたら、それは誤解ですから、ここであらためてください。

このようにマイナス方向に自己暗示をかけてしまう行為は、正常な記憶力を妨げてしまいます。

6－2　無駄な勉強法

しかし、歳をとっても記憶力がまったく変わらないのかというと、もちろん、そういうわけではありません。それは、記憶にはさまざまな種類があって、しかも、そのおのおのが人の成長と密接に関連しているからです。図5（七二ページ）で説明したように、記憶は階層を作っています。そして、この階層は成長とともに少しずつ形成されます。たとえば、若いころは意味記憶（知識の記憶力）がよく発達していますが、最上階にあるエピソード記憶は、ある程度の年齢に達しないと完成されません。

小学校では一〇歳になる前に、掛け算表の「九九」を教えますが、これは、意味記憶がよく発達しているこの時期を狙って暗記させようという意図なのです。この頃の子供は、論理めいたことでなく、むしろ意味のない文字や絵や音に対して絶大な記憶力を発揮します。逆に、中学生になる頃にはエピソード記憶が完成され、論理だった記憶力が発達してきます。ですから、成長してから九九を覚えるのは至難の業なのです。

一般に、人がものを覚える時には、覚える対象によって適齢期があります。記憶の適齢期のことを脳科学者は「臨界期」とよんでいます。たとえば、聴いた音の音程（ドレミ）を正確に判断できる「絶対音感」という能力をもっている人がいます。じつは、この特殊な能力を体得（記憶）できる臨界期は三〜四歳です。ですから、自分の意志を完全にもつようになった年齢から絶対音感の教育を受けても「時すでに遅し」ということになります。ましてや、大人になってから、音楽や楽器に興味をもったとしても、もはや絶対音感が身につくことはありません。

また、言語を覚える能力は、六歳くらいまでがとくに高いことが知られています。ただし、語学の臨界期は、絶対音感ほど厳密ではありませんので、中学生になってから英語を習い始めても習得はできます。ただ、学習のスピードが格段に遅くなるのです。たとえば、家族全員で海外に引っ越したときには、一般に、家族の中でいちばん年齢の若い人が、もっとも早く外国語を習得できます。また、スポーツでも似たようなことがあてはまるといわれています。幼いころによく体を動かしていた人は、成長した後でも、スポーツ全般にわたって優れた運動能力（手続き記憶）を発揮するようです。

こうして考えると、記憶するときにはその年齢に見合った記憶の仕方があることがわかります。もちろん、勉学においても、これはとても重要なポイントです。たとえば、中学生のころまでは、意味記憶の能力がまだ高いですから、試験内容を「丸暗記」してテストに臨むという無謀な作戦でもなんとかなります。しかし、この年齢を越えたころから、少しずつエピソード記憶が優勢になっていきますので、これまでのような丸暗記作戦では、いずれ通用しなくなります。

にもかかわらず、この事実に気づかずに、いつまでも同じような勉強方法を繰りかえしていると、自分の記憶力に限界を感じるようになるのです。また、そういう人に限って、「もう若いころのようには覚えられない」と記憶力の低下を嘆くのです。もちろん、それは、本当に記憶力が落ちたわけではなく、記憶の種類が変わったにすぎません。ですから、自分の記憶についてよく理解して、それに応じた勉強方法をとることが大切なのです。

歳をとって、エピソード記憶が発達してくると、丸暗記よりも、むしろ論理だった記憶能力がよく発達してきます。ものごとをよく理解して、その理屈を覚えるという能力です。当然、勉強方法もそうした方針に変えていく必要があります。この努力を怠ると、もはや効率的な学習はできません。そして、授業についていけなくなり、落ちこぼれてしまう可能性すらあります。

もちろん、論理だった記憶方法は、学校の勉強のためだけに有用なわけではありません。なぜなら、丸暗記は覚えた範囲の限られた知識にしか役立ちませんが、理論や理屈を覚えると、その論理が根底にあるすべての事象に活用できるのです。したがって、同じ記憶量でも、理論的な記憶のほうが高い有用性を発揮します。いうまでもなく、日常生活においても、これは応用範囲の広い記憶方法です。したがって、この第6章では、論理的な記憶力を鍛える方法について、多くの紙面を割きたいと思います。

６－３　記憶のビタミン

ＬＴＰの性質を眺めてみると、さまざまな記憶の性質が浮かび上がってきます。まず注目すべきポイントは、海馬がθリズムに乗るとＬＴＰがおこりやすくなるという現象です。ですから、θ波を作りだすような状況に自分をおくことが重要です。初めての場所にいったり、初めての人に会ったりしたときに、海馬は自然にθリズムの活動をします。それは、いま見たり感じたりしているものを、きちんと記憶しようという意図が無意識のうちにはたらいているからです。実際に、何事でも初体験のときのことはよく覚えているものです。

しかし、こうした特別の状況でなくても、θリズムを意識して発生させることができます。もっとも効率的な方法は、覚えたい対象に興味をもつことです。すると、海馬は自動的にθ波を作り出します。同じことを知ったとしても「ふ～ん、そうなの」と冷めた感情でいるよりも、「うんうん、なるほど、それでつぎにどうなるんだ？」と積極的な姿勢でいるほうが、海馬のθ波は大きく発生します。ですから、まず、ものごとに興味をもつことが大切です。

歳をとると、しばしばものごとに対する情熱が薄れてきます。ひとつのことに熱中できなくなります。感動もうすくなってきます。すると、記憶力はてきめんに低下します。じつは、歳をとって記憶力が落ちたように錯覚してしまう最大の原因はここにあるのです。感動できない大人に

刺激で膨らむ海馬

なっているのです。生きることに慣れてしまっているのです。それではいけません。常に環境の刺激に対して敏感になり、海馬にθリズムを作るだけの緊張感を保ち続けなければ記憶力は増強しません。

刺激の多い環境で生活することは、ＬＴＰにとって都合がよいというだけではありません。歯状回の顆粒細胞も活発に増殖を始めるのです。つまり、記憶に必要な神経細胞が増加するのです。もちろん、その結果、記憶力は増強されます。そして、記憶力が増強されれば、またさらに多くのことに興味をもつことができます。より好ましいほうへ脳が順応していくわけです。つまり、脳は使えば使うほどさらに使えるようになるのです。

逆に、使わないと脳の機能は低下する一方になります。たとえば、休日に何もしないでゴロゴロと家で寝て過ごすような人は、本人は脳を休めているつもりなのかもしれませんが、それはみずから甘んじて記憶力を低下させているにすぎません。もちろん、一度低下してしまった脳機能をもとに戻すのは並大抵の努力では無理です。ですから、普段から刺激と興奮をもとめるような生活を心がけなければいけません。「食欲がないのに食べると健康を害するように、欲求がないのに学習すると記憶を損なう」とはレオナルド・ダ・ビンチの言葉です。何にでも興味をもつ「好奇心」と「探究心」こそが記憶にとって大切なビタミンなのです。

6-4　心の余裕は記憶に毒？

好奇心と探究心をもってものごとを眺めることの効果は、θリズムの発生や顆粒細胞の増殖だけではなく、海馬以外のもっと広いところまでに効果が及んでいます。「おもしろい」とか「楽しい」という気持ちは「情動」ですから、扁桃体がはたらいているのです。第5章で説明したように、扁桃体は海馬のＬＴＰを促進します。普段では覚えられないようなことでも記憶できるように助けるのが扁桃体の役割です。興味をもってことに臨めば、ものごとをすんなりと覚えられるようになります。つまり、自分が感動していれば、脳は自然とそれを覚えてくれるのです。

もちろん、それは学校の勉強でも同じことです。勉強を楽しみなさいといわれても難しいことかもしれませんが、それでも、こうした記憶の性質を利用しないのは損だと思います。たとえば、「一五八二年、織田信長は本能寺で明智光秀に襲われて自刃した」という教科書的な知識も、ただそれを丸暗記するのではなく、明智光秀に奇襲されて無念そうな織田信長の様子を実際に頭に思い浮かべ、さらに彼の死を、自分の身内が死んだかのように悲しく思えば、脳はこの知識を自然に記憶しようとします。わざわざ、こんなことに感傷的になるなんてバカらしい気もしますが、しかし、私たちの記憶とは事実そうしたものなのです。作家のサン・シモンは晩年こう語りました。「感動する心を失ってはいけない。感動する心を失ったら何事もなされない」と。進化の過程で何千万年もかけて自然淘汰されてきた記憶のこの性質を利用することは、生物学的にも理に適《かな》ったもので、脳への負担も少ない方法なのです。

もちろん、不安や恐怖などの感情もまた扁桃体で作られます。たとえば、テストが近づくと、根をつめて、普段ではとても覚えられないような量の知識を一気に詰め込むことができる人がいます。火事場のバカ力のようなものです。これも、テストに対する不安感や危機感が、記憶力を一時的に増強させているのです。しかし、テスト直前の詰め込みには多くの難点があります。たとえばストレスです。ストレスがかかるとLTPは大きく減弱します。記憶力はストレスに弱いのです。ですから、あまりにもせっぱつまったテスト勉強は逆効果となります。もちろん、「テストが近づいてきた、どうしよう」とストレスをためるだけで、勉強すらしないのは最悪のケースです。ストレスのない余裕をもったスケジュールでテストの準備をすることが大切なのです。ただし、余裕のあるスケジュールを立てたのはよいが、緊張感が持続せず志気が沈滞してしまっても同じように記憶にとっては好ましくありません。マンネリ化せず、適度な緊張感を保ちながら勉学に励むことが、効率よく学習できるコツなのです。

6－5　記憶力を増強してストレス解消!?

このように、ストレスは記憶にとって天敵なのですが、じつは、私たちの脳はストレスを記憶することもできるのです。こんなことをいきなりいわれても、キツネにつままれたような気がするかもしれませんが、実際に、私たちはストレスを学習することができます。ただ、ストレスに関しては、皆さんは「学習」というより、むしろ「慣れる」という言葉を使っているかもしれません。

たとえば、新しい学級の初登校の日や、もしくは入社したてのころなどのように、本人の意志とは関係なく新しい環境にさらされたとき、人はストレスを感じます。しかし、日時が経つにつれて、仲間ともうち解ければ、環境にも慣れて、ストレスはだんだんと減少していきます。環境そのものは変わっていないにもかかわらず、ストレスが減ってくるのです。これは「いまの環境をストレスに感じる必要はない」ということを脳が「記憶」してくれた結果なのです。そして、こうしたストレスの記憶もまた、海馬のＬＴＰを使って行われています。

カナダの心理学者ヘンケは、海馬とストレスの関係について一連の研究を行っています。ネズミにとっては気の毒な実験ですが、ヘンケはネズミにストレスを与えて、胃潰瘍《いかいよう》を作らせました。ストレスが大きいほど、大きな胃潰瘍ができるので、その胃潰瘍の大きさを測定すれば、ネズミがどのくらいのストレスを感じたのかを計測することができるのです。

ヘンケは、まず、海馬を切除したネズミに、ストレスを与えてみました。すると、海馬を切除しないネズミにストレスを与えた場合とくらべて潰瘍の面積が大きくなったのです。つまり、海馬のないネズミは、ストレスをうまく学習する（慣れる）ことができず、正常な海馬をもっているネズミにくらべて、大きなストレスを感じ続けていたのです。この結果からも、ストレスに慣れるということは、海馬を使った脳の記憶であるということが、わかってもらえると思います。

つぎに、ヘンケは正常なネズミにストレスを与えると同時に、海馬にＬＴＰを発生させてみました。すると、今度はむしろ、胃潰瘍が小さくなったのです。胃潰瘍がまったく消えてしまったネズミもいました。つまり、ネズミは、海馬のＬＴＰを通じてストレスを学習したのです。この結果から、記憶力が増強されれば、ストレスもまた解消されることがわかります。記憶力にとってストレスは天敵ですが、ストレスもまた記憶力を天敵としているわけです。つまり、ストレスと記憶は互いに「犬猿の仲」なのです。

記憶力のためにはストレスを避けたほうがよいと、先に述べましたが、実生活の中では、ストレスをどうしても避けられない場合が数多くあります。そうしたときには、ストレスにできるだけ早く慣れないと、大切な記憶力が損なわれてしまいます。一方、ヘンケの実験によると、記憶力が高ければ、こうした危機に直面しても、受けるストレスが少なくなります。これは、貴重な記憶力を保護できるというだけではなく、精神衛生的な観点からも好ましいことです。したがって、将来、避けられないストレスに直面するときの備えとして、普段から記憶力を鍛えておきたいものです。記憶力が高ければ、ストレスからのダメージも最小限ですみますから、さらに記憶力を高めることができます。ストレスにさえ打ち勝つ強い脳を作りたいものです。

6－6　なぜ東大に合格できるのか？

シナプス可塑性には「連合性」という性質があります。事象と事象が連合されれば閾値よりも弱い刺激でLTPをおこすことができるという性質です。つまり、ものごとを互いに関連づければ覚えやすくなるというわけです。ものごとを関連づけるということは、言い換えれば、ものごとをよく理解するということです。脳は理解していないことはうまく覚えられません。丸暗記した公式や知識、意味のない文字や数字の羅列は、覚えたつもりでもすぐに忘れてしまうでしょう。ものごとを理解したときにだけ、脳はそれをしっかりと記憶するのです。理解していないものは役に立ちません。役に立たないことは記憶するだけむだです。脳は合理的です。無意味なことに余分なエネルギーを使わないのです。

たとえば、「１８３６５４７２９０」という数を明日まで覚えていなければならないとします。しかし、これは脳にとっては難題です。一〇桁もありますから、明日までどころか三〇秒間の「短期記憶」すらままなりません。しかし、**図27**にあるように、その数字の並び方の法則に気づけば、誰でも記憶できるようになります。明日までといわず、一ヵ月でも覚えていられそうです。法則に気づくこと、つまり、ものを理解するということは記憶にとってこんなにも優れた効果を発揮するのです。

ですから、ものごとの奥にひそむ真理を発見することが、学習にとって重要なのです。法則性を見抜くこと、そして、法則性を見つけ出す能力が必要なわけです。教科書の知識も理解なくしては記憶できません。また、理解していなければ、仮に覚えたとしてもまったく役に立ちません。理解するということは、自分なりに消化するということです。知識が消化されれば、その知識を使って、またさらに多くのことを理解することができます。そして、数多くの事象がつぎつぎと神経回路の中でつながっていきます。すると、ますますものごとがおもしろく感じられるようになり、さらに興味が深まってきて、記憶力が増強します。

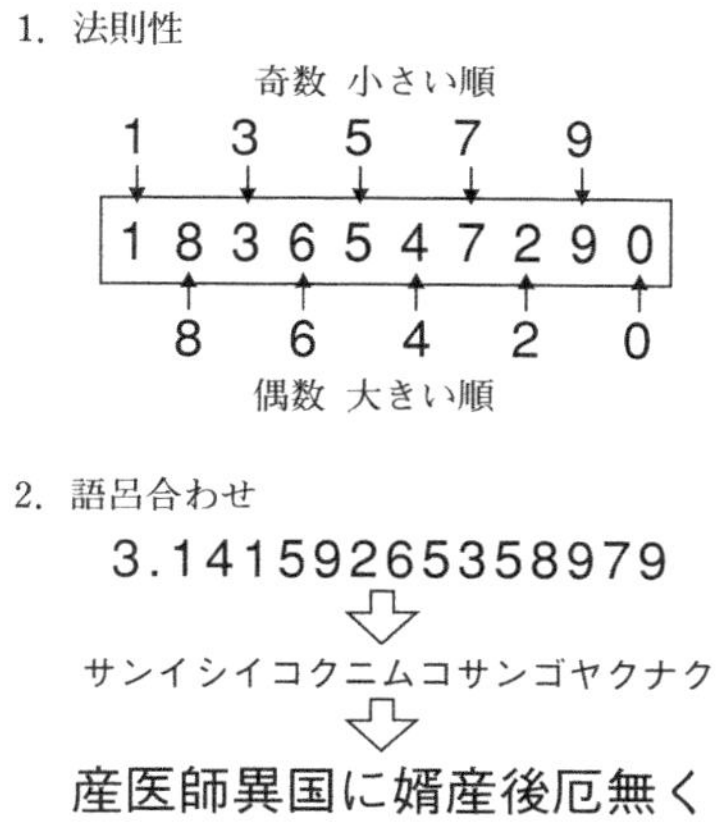

図27　意味のないものを覚えるには

私は東京大学の教職員という立場として毎日のように東大生に接しています。ここの学生たちは、確かに、厳しい受験勉強を通過してきた強者ですが、それでも天才的に頭がよいという学生はそれほどいません。たまにいたとしても、それは例外中の例外です。たいていの人は一見抜群の記憶力を誇る頭脳をもっているように見えても、それは単に記憶するコツを心得ているにすぎません。要領よく記憶しているだけなのです。もちろん、そのコツとは「法則性をつかむ」こと、そして「理解して覚える」ことにほかなりません。つまり、記憶力とは本人の心がけ次第なのです。

語呂合わせもまた、そうした記憶のコツのひとつとしてしばしばもちいられます。私は円周率πを語呂合わせで小数点以下一四桁まで覚えています。もちろん、語呂合わせにもコツがあります。

ただ見て覚えるのではなく声に出してみるということです。なぜなら、目の記憶より耳の記憶のほうが心に残るからです。

ネズミや犬を人間とくらべてみればわかるように、視覚の能力が発達したのは、動物の進化の過程では比較的最近のことです。つまり、長い進化歴史で、動物は目よりもむしろ耳をよく活用してきたわけです。したがって、歴史が長い分、耳の記憶は目の記憶よりも強く心によく残ります。実際に、歌の歌詞もそのまま見て覚えるよりも、メロディーといっしょに覚えるほうが記憶しやすくなるということは誰でも経験していると思います。古代では、時事や祭事などの大切なことは、歌に託して子孫に伝承していました。これは、古代人がこうした記憶の性質をよく理解していたことを物語っています。

さらに、語呂合わせを言葉の音声のリズムだけで覚えるのではなく、言葉の意味していることをきちんと「想像」することもまた大切です。そうすることによって、記憶はさらに補強されます。そのためには多少の時間がかかっても、やはり語呂合わせを自分で作るのがよい方法です。そして、できる限り語呂合わせの意味している状況を具体的に想像するのです。想像すれば想像しただけ、はるかに記憶に残りやすくなります。「想像は知識よりも重要である」とは天才アインシュタインの言葉です。もちろん、これがシナプス可塑性の「連合性」を活用した記憶術であることはいうまでもありません。

すでに述べたように、ものごとを理解し連合させると、その分覚えやすくなりますから、単一のことを記憶するときでも、できるだけ多くのことを連合させたほうがよいということになります。このように事象の内容を連合させて、より豊富にすることを「精緻化《せいちか》」といいます。常に精緻化を心がけていれば、記憶がたやすくなり、かつ、その記憶も有用なものになります。

そして、さらに重要なことは、ただ単に知識的な連合に努めるより、自分の「経験」に結びつけて記憶したほうがよいということです。なぜなら、自分の体験が関連してくれば、その記憶は「エピソード記憶」となるからです。エピソード記憶には意味記憶よりも優れた点があります。それは、初めから意味記憶として覚えるよりも「忘れにくい」ということ、そして、いつでも「思い出す」ことができるということです。とくに後者の特徴は重要です。必要なときに思い出せないような覚え方をして、テスト中に困った人もいるのではないでしょうか。

エピソード記憶を簡単に作る方法は、覚えた知識（意味記憶）を、友達なり家族なりに説明してみることです。すると「あのとき教えたところだ」「そういえば、こういう図を描いて説明したかな」といった具合にエピソード記憶になります。そして、これがきっかけとなり容易に思い出すことができます。しかし、説明することの利点はそれだけではありません。「自分で納得のいかない限り人を納得させられない」と作家アーノルドが語ったように、自分がしっかり理解していなければ、人に説明することはできません。つまり、人に説明してみることで、自分が本当に「理解」しているのかどうかを確認することもできるのです。

一方、注意しなければならないことは、エピソード記憶は次第に意味記憶に置き換えられてしまうことです。放っておくと、せっかくのエピソード記憶も、いずれは個人の体験が削ぎおとされて、ついには意味記憶になってしまいます。したがって、歳をとると脳には意味記憶の割合が多くなってしまいます。これが、歳をとると「度忘れ」が激しくなる理由なのです。もちろん、記憶は脳の中に保存されてはいますが、意味記憶ですので「きっかけ」が十分でないと思い出せないのです。いうまでもなく、思い出せない記憶は「錆びた引きだし」同然で使いものになりません。宝の持ち腐れです。ですから、度忘れしてはいけない知識に関しては、ときおり人に説明してみるなど、エピソード記憶として保存するための努力を忘れてはいけません。

6-7 勉強はほどほどに!?

脳の記憶は、コンピューターとは異なり、永久的ではありません。むしろ、時間が経つと自然に消されるのが一般的です。いわゆる「忘却」という現象です。おもしろいことに「覚える」ことも「忘れる」こともともに、記憶に絡む脳の現象であるにもかかわらず、意識的に操作できるのは覚えることのほうだけです。忘れるという行為は意図的にはできません。眠れない夜に眠ろうと意識するとよけいに眠れなくなるように、忘れようと努力すればするほどより強固に記憶に焼きついてしまったりもします。

逆に、忘れるという現象は意図的に操作できないため、その挙動は単純です。つまり、忘却という現象を科学的に調べることはわりと簡単なのです。実際に、一九世紀にはすでに、ドイツの実験心理学者エビングハウスが「忘却」について詳しく検証しています。

エビングハウスは、意味のない三つのアルファベットの羅列を、被験者にたくさん覚えさせて、その記憶がどのようなスピードで忘れられていくかを調べました。その結果が**図28**です。初めの四時間の間に半分近くを忘れ、その後は、残りの記憶を少しずつ忘れるという幾何級数的な曲線を描いています。つまり、覚えた直後にどっと忘れて、それを乗り越えて残った記憶はわりと長く保持される傾向にあるというわけです。これは「エビングハウスの忘却曲線」として知られる現象です。

テスト直前の知識の詰め込みはけっしてよい方法ではないと述べましたが、仮にやむを得ない状況になったとしたら、前日の深夜に詰め込むよりも、当日の早朝に詰め込んだほうが、テストまでに覚えていられる確率が高くなるということになります。しかも、エビングハウスの忘却曲線にしたがえば、テストまでの四時間が勝負だということになります。

ところで、忘れることは意図的にできないと述べましたが、じつは、忘却を早める方法があり

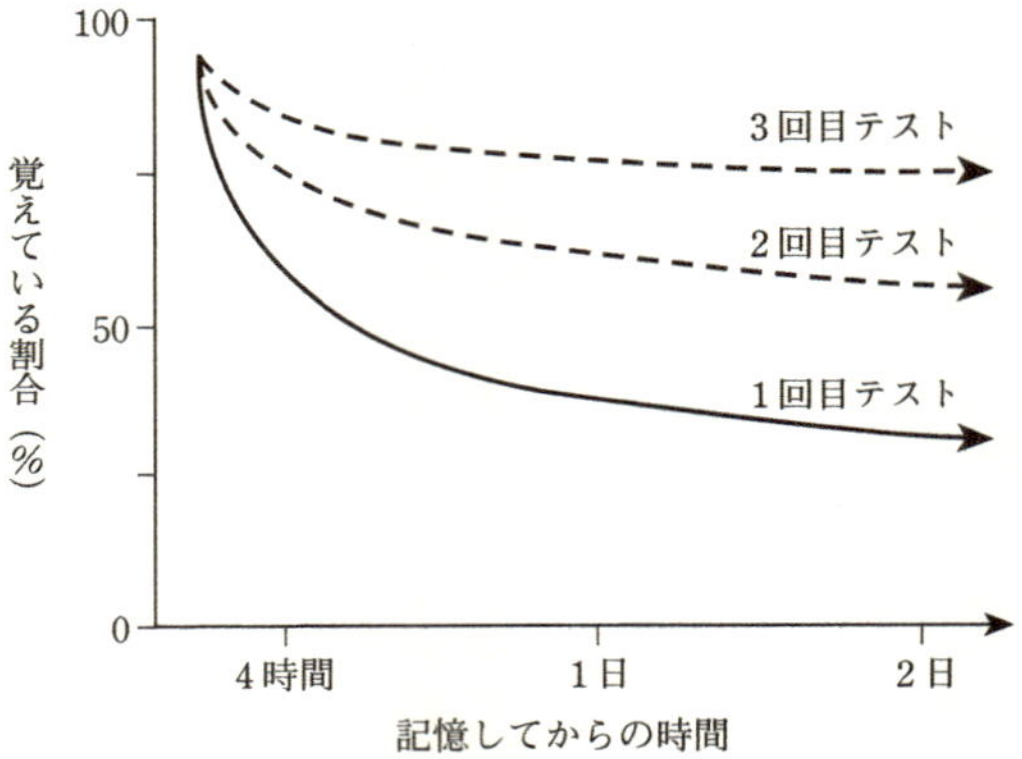

図28　エビングハウスの忘却曲線

ます。それは他のことを追加して記憶することです。たとえば、エビングハウスの実験で三文字の羅列を二〇個暗記させたとします。忘却曲線によると、翌日まで覚えている数は八個（四〇％）程度になるはずなのですが、それまでの間に、さらに別の文字列を一〇個追加して覚えさせると、初めの二〇個を覚えていられる割合はかなり減ってしまいます。

記憶の神経回路は相互作用しているので、ある程度の類似性があることを覚えると以前の記憶が妨げられてしまうのです。これを「記憶の干渉」といいます。失恋のあと、恋人のことが忘れられないと嘆いていた人が、新しい恋人ができたとたんに前の恋人のことをケロリと忘れてしまう、などという笑い話も記憶の干渉の結果です。また、干渉によって新しい記憶のほうにも影響を与えてしまうことがあります。忘却とまでいかなくても、新しい記憶が曖昧になり、ときには記憶の混同や勘違いをおこす原因にもなります。つまり、不用意に記憶を詰め込むと、かえって覚えが悪くなるということです。

たとえば、明日のテストまでに、まったく知らない英単語を一〇〇個覚えなければならないとします。こんなときは、無理して一〇〇個全部を覚えようとがんばるよりも、確実に五〇個覚えたほうが概してよい点数が得られるものです。こうした現象もやはり記憶の干渉が原因なのです。五〇個しか勉強しないという方法は、確かにずるい作戦ですが、成績だけでなく時間的にも体力的にも精神的にも合理的な戦略です。徹夜で強引に一〇〇個詰め込もうという不健康な方法よりはるかに健全です。ストレスなく覚えられる範囲を覚える、理解したところだけを確実に覚えるという方法は、記憶の性質に適った学習方法なのです。

もう一度、図28を見てください。エビングハウスはさらに詳細な検討をしています。それは、二〇個の文字列を覚えさせるテストをした人に、何日か空けて、もう一度、同じ文字列を暗記させるのです。すると、一回目にくらべ二回目のほうが忘れにくくなっていることがわかります。また、三回目になるとその効果はさらにてきめんに現れます。これは、一回目のテストで思い出せなくなってしまった文字列はじつは完全に忘れてしまったわけではなく、意識下の脳にたくわえられていたということを意味しています。そして、この潜在的な記憶が二回目の学習に影響を与えて成績を上昇させるのです。忘れたのではなくて、単に思い出せなくなっていただけなのです。そして、テストを繰りかえすと、記憶力が増強したかのように見えるのです。

こうしたことからも、勉学における「復習」の大切さが理解できます。エビングハウスはさらに、どれほどの間隔を空けて復習するのがもっとも効果的なのかということを調べています。彼の実験によると、一ヵ月以上空けてしまうと、二回目のテストを行っても記憶力はほとんど増強されません。どうやら、無意識の記憶の保存期限は一ヵ月程度のようです。

エビングハウスの実験が行われてから一〇〇年経った現在の脳科学では、この現象の原理がもう少し詳しく解明されています。キーワードはやはり「海馬」です。海馬は、大脳皮質の側頭葉から入ってくる膨大な情報の中から、記憶すべき重要なものだけを取捨選択して、ふたたび側頭葉に返すという「記憶のふるい」の役割をしています。

つまり、海馬は記憶の一時的な保管場所なのです。その保管場所では、記憶が整理整頓され、何が「必要」で何が「不要」かが吟味されるのです。そして、海馬に記憶が保管されている期間は、長くても一ヵ月であるといわれています。つまり、この一ヵ月こそが復習の絶好のチャンスなのです。このタイミングを逃すと、復習の効果は得られません。効率のよい復習とは、以前の記憶が海馬に保管されているうちに、覚えたい情報をもう一度、海馬に送信してやることです。そうすれば、海馬はこの情報を「必要」な情報であると判定して、側頭葉に「これを記憶せよ」と送り返すのです。すると、側頭葉は、海馬の指図どおり、その記憶を保存してくれます。

海馬の仕事は整理整頓

図20（一四五ページ）で説明したように、新しい神経回路を作る方法としてシナプス可塑性以外に「発芽」という方法があります。側頭葉などの大脳皮質には発芽という現象がよく観察されます。発芽はゆっくりと確実に神経回路を作る方法です。つまり、発芽によって神経回路が作られたら、この回路はとても長い期間、安定に保持されることになります。要するに、一度、海馬から側頭葉に確実に情報が送られたならば、その記憶は長いあいだ脳に貯蔵されるわけです。これを利用すれば「復習」によって一生忘れないような強い記憶を作ることさえも可能です。

反対に、テスト前にしか勉強せず、復習もしないという人の脳では、十分な記憶形成が行われる確率は低くなります。中間テストや期末テストなどは一ヵ月以上の間隔を空けて定期的に催されますから、テスト前にしか勉強しない人が「覚えられない」と嘆くのは、さもありなんといったところです。

忘却曲線を考慮に入れると、科学的にもっとも能率的な復習スケジュールは、まず一週間後に一回目、つぎにこの復習から二週間後に二回目、そして、最後に二回目の復習から一ヵ月後に三回目、というように一回の学習と三回の復習を少しずつ間隔を広くしながら二ヵ月かけて行うことです。そうすれば、海馬はその情報を必要な記憶と判断してくれます。

また、歳をとると「もの覚えが悪く」なったような気がするのは、若い頃のように何回も繰りかえす根気に欠けているということも要因のひとつです。本人が意識していなくても、学校の授業にはそれなりの復習効果があります。ですから、学校を卒業した後、何かものごとを習得したいと考えている人は、繰りかえし学習するという習慣を身につける必要があるでしょう。

6-8 寝る児は育つ ——「夢」の不思議

徹夜での知識の詰め込みが、効率の悪い勉強方法であることはすでに述べました。しかし、徹夜が記憶によくないことには、さらに深い理由があります。それは夢です。

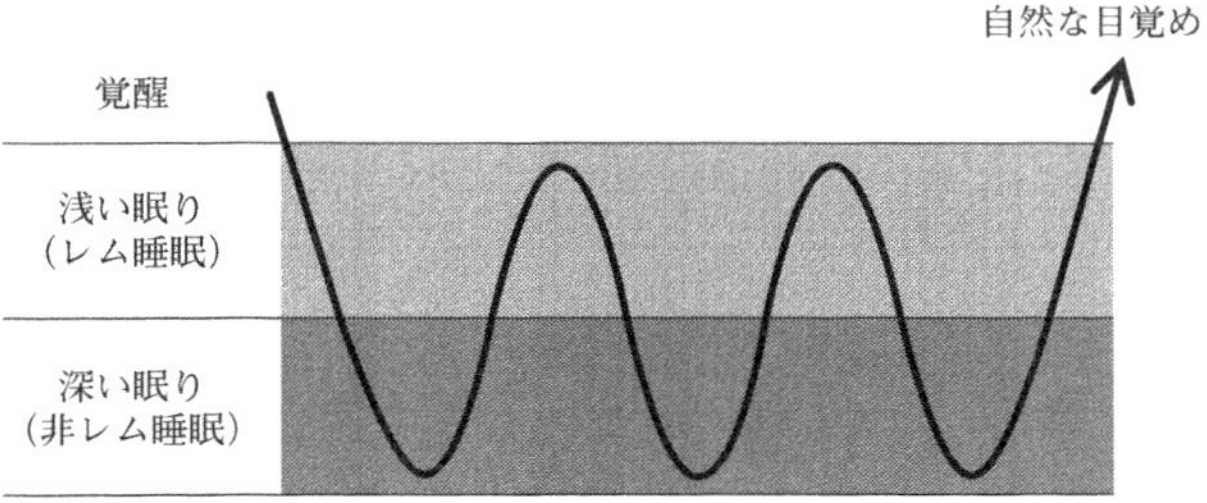

図29　睡眠のリズム

夢の話の前に、睡眠について簡単に説明しましょう。よく知られているように睡眠にはリズムがあります。浅い眠りと深い眠りが周期的に交互におこっているのです（図29）。米国の心理学者アズリンスキーは、自分の息子を実験材料として眠りのリズムを研究し、このリズムは約九〇分ごとに繰りかえされていることを発見しました。そして、浅い眠りを「レム睡眠」（急速眼球〈rapid eye movement, REM〉睡眠）、深い眠りを「非《ノン》レム睡眠」と名づけました。レム睡眠と非レム睡眠の周期はふつう寝ている間に四〜六回ほど繰りかえされます。

　人が夢を見るのはレム睡眠の間です。レム睡眠のとき、人間の眼球は激しく動き、脳波は、まるで眠りから覚めているときのように活発になります。一方、非レム睡眠のときの脳波はとても静かで落ち着いています。脳が休んでいるのです。しかし、非レム睡眠の人を見ていると、よく体を動かしていることがわかります。反対に、レム睡眠のときは死んだようにぐっすりと眠っています。つまり、レム睡眠のときには体が休み、一方、非レム睡眠のときには脳が休むという交互の周期が睡眠中に続けられているわけです。

この周期が何度か繰りかえされ、睡眠時間が十分に達すると、浅い眠りになったときに自然に目覚めます。このとき、目覚める直前まで休んでいた体を覚醒させようと手足を伸ばすという動作をします。いわゆる「のび」です。ところが、目覚まし時計などで非レム睡眠中に強引に起床すると、直前まで脳が眠っていたため頭が朦朧《もうろう》とします。しかも、ときにはこの朦朧とした意識が一日中続いてしまうこともあります。もし、これがテストの日だったら大変な事態です。明晰な頭脳で一日を快適にすごすためにも、できればレム睡眠ですっきりと目覚めたいものです。睡眠の周期には個人差がありますから、自分のリズムをしっかりと把握しておくことが大切です。

ちなみに、ふと目覚めたが、なぜだか体がまったく動かないという「かなしばり現象」は、起床する予定でないレム睡眠にもかかわらず脳が覚醒してしまった結果です。体は眠ったままですから、自分の意識が明瞭でも起きあがることはおろか、手足を動かすことさえできません。一種の睡眠障害です。

さて、夢の話に戻りましょう。「夢」はレム睡眠の間に見るものですが、脳にまったく存在しない現象がそこに出現するはずがありませんから、夢は一種の「記憶」の再生です。人は一晩の間に膨大な量の夢を見ます。あまり夢を見ないという人もいますが、それは単に、人よりも目覚めたあとに、夢を覚えていないだけのことなのです。実際、起床したあとに思い出す夢はほんの一部分にすぎません。覚えている夢は全体の一％以下であろうと推測している科学者もいます。

また、「夢」というと幻想的なイメージを抱く人が多いと思いますが、これも必ずしもそうだとは限りません。印象深かったり、ナンセンスだったり、風変わりだった夢をよく覚えているだけのことで、夢にはむしろ日常的なことが多く再生されています。ただ、あまりにもふつうの夢は覚えていないのです。反対に、日常的な夢を覚えてしまうために、目覚めたあとで、それが現実だったのか夢だったのかの区別ができなくなってしまうという経験をする人もいるようです。いずれにしても、現代脳科学はフロイトやユングが築きあげた夢分析には懐疑的な立場をとっています。

さて、米国の心理学者マックノートンが一九九四年にサイエンス誌に発表した海馬の場所ニューロンの研究は、「夢」に対しておもしろい見解を示しました。第2章で説明したように、場所ニューロンは特定の場所だけで活動する海馬の神経細胞です。逆に、この神経細胞が活動しているということは、自分がいまその場所にいるということを認識していることになります。

マックノートンは、ネズミの場所ニューロンを記録していて興味深い事実に気づきました。それは、起きている間に活動した場所ニューロンは、その後、レム睡眠のときにふたたび活動を始めるということです。つまり、ネズミは眠りながら、つい先ほど起きていたときに訪れた場所を思い出しているのです。これはまさに「夢」です。ネズミが夢を見るということも驚きですが、それ以上に驚くべき事実は、夢が昼間あったことを思いおこすという行為であったという点です。最近経験したことを夢の中で再生しているのです。そして、夢を使って過去の記憶を反芻《はんすう》し整理しているのです。

現在の脳科学の見解によれば、夢は脳の情報を整え、記憶を強化するために必須な過程であるとされています。記憶は夢を見ることによって保存されるのです。つまり、寝ることは、ものごとをしっかりと覚えるための大切な行為なのです。米国の精神医学者スティックゴールドは二〇〇〇年の認知神経科学雑誌に、何か新しい知識や技法を身につけるためには、覚えたその日に六時間以上眠ることが欠かせないという研究結果を発表しました。一睡もせずに詰め込んだ記憶は、側頭葉に刻みこまれることなく数日のうちに消えてしまうのです。テスト直前に徹夜で詰め込んだ知識が、すぐに忘れ去られてしまうことは、皆さんもきっと経験していることでしょう。十分な睡眠をとったほうが効率よく記憶されるのです。

実際、学習したものが少し時間をおくと高度化するという不思議な経験をした人もいることと思います。たとえば、テニスのレッスンでどんなに練習してもうまく打てるようにならないコースがあり、精神的にも煮詰まってしまいフテ寝をしてしまったが、翌日に試してみたらすんなり打てたなどという現象がそれです。また、勉強してもさっぱりわからなかったことが、ある日突然、目から鱗《うろこ》が落ちたように理解できたということもあります。

こうした現象は「レミニセンス（追憶）現象」とよばれています。寝ている間に記憶がきちんと整理整頓され、その後の学習を助けた結果であると考えられています。夢見る記憶は育つというわけです。反対に、学習したものが、レミニセンス現象により十分な効果を発揮するまでには、ある程度の時間が必要であるともいえます。直前に詰め込んだ知識よりも、覚えてから数日おいた知識のほうが、ほどよくこなれていて脳にとっても利用しやすい記憶になっています。記憶は時間をかけて熟成するワインのようなものです。

また、レミニセンス現象は「勉強時間」についても大切なことを教えてくれます。それは、一日に六時間まとめて勉強するくらいなら、二時間ずつ三日に分けて勉強したほうが、途中に睡眠が入るため能率的に習得できるということです。毎日コツコツと少しずつ勉強したいものです。

6-9　平均的人間はダメ人間!?

つぎに図17（一三九ページ）に示した記憶の生理学の観点から記憶力を考えてみましょう。脳は失敗を繰りかえしながら記憶を作ります。したがって、試行錯誤するほど記憶が強化されます。一方で、どんなにがんばっても、記憶には必ずどこか曖昧な部分が残っています。ですから、どんなに道を究めても失敗はけっしてなくなりません。もちろん、失敗は恥ずかしいことではありませんし、また失敗を恐れる必要もありません。大切なことは、失敗して「後悔」することではなく、失敗して「反省」することです。失敗をつぎに活かせることが、曖昧な記憶をする（ファジー率の高い）人間の脳のすばらしいところなのです。

学習の手順をきちんと踏めば、より早く覚えられるという脳の性質も重要です。ネズミのオペラント条件づけでは、餌とレバーとブザーという三つの要因を一気に覚えるよりも、この三つの関係を分離して記憶したほうが早く学習できました。一見、遠回りに感じるかもしれませんが、しっかりと学習手順を踏んだほうが失敗の数も少なくてすみます。ですから、いきなり高度なことに手を出すよりも、基礎を身につけてから少しずつ難易度を上げていったほうが、結果的には早く習得できるのです。

学校の勉強は教科書に沿って基礎から応用へと練られた手順で進行されますから、学生はそれほど「手順」を気にする必要はありませんが、授業に頼らず何かを独学で習得しようとする人は、学習手順には慎重に気を配ったほうが賢明です。一般にものを習得するときには、まずは大局を理解しておくことが大切です。初めは細部を気にせず、おおまかに理解するのです。細かいことは、その後で少しずつ覚えていったらよいのです。

ネズミはオペラント課題の初期段階ではドの音とソの音を区別しません。もともと記憶とは大ざっぱで曖昧ですから、似ているものを区別しようとしません。それどころか、初めは似ているものを区別できないのがふつうです。そうした意味でも、まず似ているものの範疇《はんちゅう》を把握することが学習の第一歩となります。細部の区別はそのつぎのステップなのです。そして、ドとソが区別できるようになると、ドとド♯の区別すらも訓練次第で可能になります。しかし、いきなりドとド♯を区別しようと努力しても、それは無理なのです。ですから、まずは大きく事象をとらえ、その後に細部を区別するという手順を踏むということが必要です。

たとえば、西洋絵画に興味がない人には、どの絵画も同じような絵に見えてしまいます。しかし、少し興味をもって絵画を見つめているとルネッサンス絵画なのか印象派絵画なのかを区別できるようになります。そして、さらに勉強すればレオナルド・ダ・ビンチやラファエロやミケランジェロまで区別できるようになります。クラシック音楽でも同じです。興味がなければどの曲も同じように聴こえます。しかし、聴き込めばバロック音楽なのかロマン派音楽なのかを区別できるようになるでしょう。さらに聴き込めばショパンやシューマンやリストまでもが区別できるようになるはずです。とにかく、おおまかに似ているものを区別せずいっしょにまとめてしまうのが記憶の性質ですから、初めは区別できなくて当然です。それはけっして恥ずかしいことではありません。わからなくても気後れする必要はありません。手順さえきちんと踏めば、誰でも、いずれ細部まで理解できるようになるのです。

また、おもしろいことに、ドとド♯の区別ができるようになると、ソとソ♯を区別することが簡単になります。細かいことが見えてくると、ほかの細かいところまで区別できるようになるのです。つまり、ある事象の理解の仕方を覚えると、ほかの事象に対する理解の仕方までが上達するのです。野球がうまい人はソフトボールの上達も早いですし、英語をマスターした人はフランス語の習得も容易になります。また、ある数学の問題の解法を覚えれば、似たようなパターンの問題にこれを応用することもできます。

　こうしたことからも、脳が記憶するときには、記憶の対象となる「事象」を記憶するだけではなく、事象の「理解の仕方」も同時に記憶していることがわかります。「法則性」を見つけ理解することが、記憶において重要なポイントであることはすでに述べましたが、ひとつのことを記憶すれば自然と、ほかのことの法則性を見出す能力も身につくというわけです。つまり、記憶には相乗効果があるのです。したがって、多くのことを記憶して使いこなされた脳ほど、さらに使える脳となります。使えば使うほど消耗され故障が増えてしまうコンピューターとはちがって、脳は使えば使うほど性能が向上する不思議な記憶装置なのです。

　勉強でいえば、ある科目のどこかの部分を十分に理解すると、他の部分も理解しやすくなり記憶が正確になります。そして、ある科目を十分にマスターすると、他の科目の習得も容易になります。どの科目でも優秀な成績をとることができる学業の優れた人は、ひとつの科目すらもマスターしていない人から見ると超人的な天才に見えますが、しかし、それは生まれつき頭がよいというよりも、むしろ、いろいろな科目の学習能力が相乗しあった結果なのです。逆に、私たちもひとつの科目をマスターすると、好き嫌いといった苦手意識さえ克服できれば、比較的容易に他の科目の成績を上げることができます。どの科目も均等に勉強し平均的に点数をかせぐ方法よりも、ひとつの科目を集中して勉強するほうが長い目で見れば効率的なのです。まずはひとつでもよいから得意科目を作ることが大切です。

6-10　天才の秘密

「理解の仕方」を覚えるということの効果について、もう少し深く考えてみましょう。これは「仕方」つまり「How to」を覚える記憶ですから「手続き記憶」です。手続き記憶は、図5（七二ページ）の記憶の階層でいうと、最下層に位置するもっとも原始的な記憶です。ということは、もっとも忘れにくい記憶ということになります。たとえば、自転車の乗り方やトランプゲームのルールなどは、長い期間やっていなくても、必要なときに自然に思い出すことができます。

反対に、記憶が非常に強固なために、我流でスポーツをやって癖のあるフォームを身につけてしまうと、その後で正しいフォームに修正しようとしても、なかなか癖が抜けないといったこともおこります。しかし、この強固な手続き記憶をうまく利用すれば、私たちにとって心強い味方となってくれることでしょう。

手続き記憶は「潜在記憶」ですから、覚えることも思い出すことも無意識になされます。実際、「事象」を記憶することは意識的に行われますが、事象の「理解の仕方」は無意識に記憶されています。本人の意志にかかわらず、手続き記憶は勝手に作動しているのです。ですから、手続き記憶の作用は、本人の意図しないところで、知らず知らずのうちに絶大な威力を発揮します。

たとえば、将棋や囲碁の名人は、対戦の後で対局中の盤面を完全に再現することができます。素人から見ると、彼らは天才的な記憶力の持ち主のように見えます。確かに、どの駒をいつどう動かしたかという「エピソード記憶」だけで、全棋譜を完全に覚えようとしたら、超人的な記憶力が必要でしょう。しかし、名人は「エピソード記憶」だけでなく「手続き記憶」も同時に駆使して、棋譜を記憶しています。自分が何を考えどう打ったかというエピソード記憶と、局面として出現しうるであろう盤面のパターンという手続き記憶です。つまり、無意識のうちに棋譜を類型化して「法則性」を見抜いているのです。

実際に、対局していても絶対にあり得ないようなパターン（たとえば、素人が駒を無秩序に並べたような盤面）になると、名人ですらまったく記憶することができません。それは、いままでの経験でたくわえてきた手続き記憶が使えないからです。そうした状況では、名人の驚異的な記

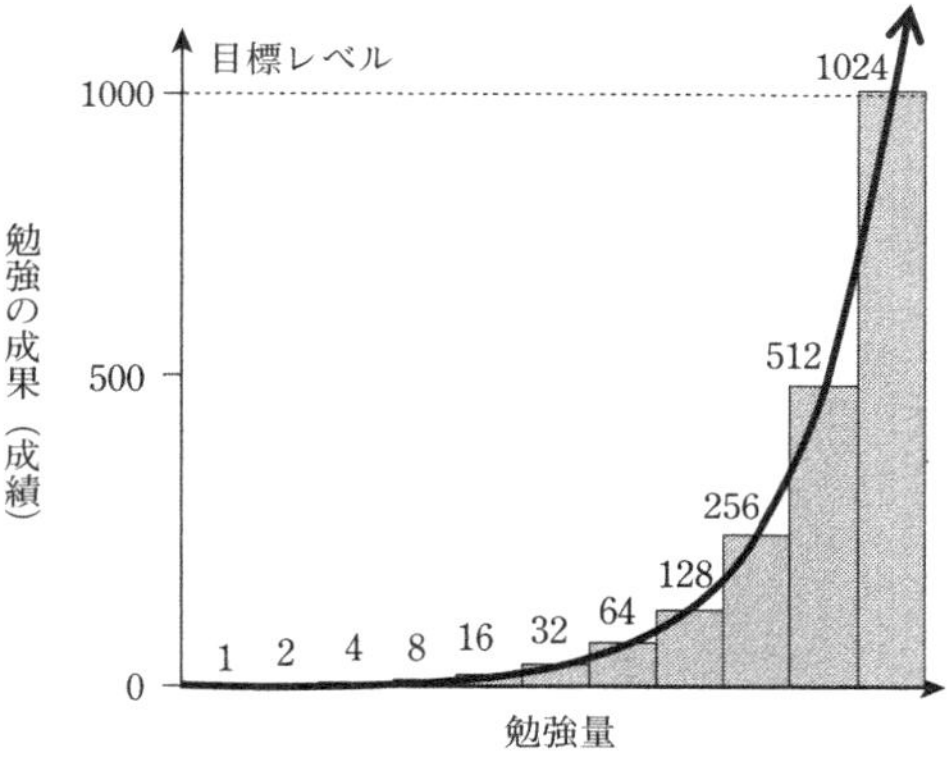

図30　勉強と成績の関係

憶力も、素人の記憶力と同じレベルになってしまいます。このように、「天才的」と思える能力は、一般的に、潜在的な「手続き記憶」が基盤になっています。手続き記憶が天才を作るわけです。

いま、皆さんがAという事象を覚えたとします。このとき同時に、Aという事象の「理解の仕方」も、気づかないうちに手続き記憶によって脳に保存されます。したがって、つぎにBという事象を覚えようとしたとき、Aの手続き記憶が、無意識にBの理解を助けて、容易にBを記憶できるようになります。もちろん、同時にBの手続き記憶もまた自動的に記憶されます。しかし、このとき脳でおこる現象は、それだけではありません。新しく覚えたBの手続き記憶が、すでに記憶しているAの理解をさらに深めてくれるのです。

つまり、AとBの二つの事象を覚えると、「A」、「B」、「Aから見たB」、「Bから見たA」というように、「事象」と「事象の連合」が生まれ、記憶した内容に、四つ（二の二乗）の効果が生まれるわけです。このように、記憶力の相乗作用には、一般的に「累積（べき乗）の効果」がありま す。したがって、勉学の効果は幾何級数的なカーブを描いて上昇します。

これを図に示すと**図30**のようになります。たとえば、いま皆さんは成績が1のところにいるとします。そして、勉強の目標成績を1000に定めます。勉強してランクが上がると、成績は2になります。さらに猛勉強をして、もう一ランク上がると、成績は4になります。こうして、努力をして続けていくと、成績は8、16、32、64と少しずつ累積効果を示してきます。

しかし、こんなに努力したにもかかわらず、現在の成績はまだ64です。目標の1000にくらべれば、スタートの成績からほとんど上昇していないかのように思えます。ですから、皆さんの多くは、この時点で「なんでこんなに猛勉強をしているのに自分の成績は上がらないのだろうか」「私は本当に才能がないのかもしれない」と真剣に悩んでしまうことでしょう。そして、1000の成績をもった人を見れば「とてもかなわない」「ああいう人を天才というのだろう」「まさに別の人種だな」と思うはずです。たいていの人は、この時点で、自分の才能のなさに落胆して、勉強をあきらめてしまいます。そこで、成績1000を超えた人を便宜的に「天才」とよぶことにしましょう。

しかし、さらに忍耐づよく勉強を繰りかえすことのできる人ならば、その後、成績は128、

256、512と上昇していきます。じつは、ここまで努力して、ようやく勉強の効果が目に見えて確認できるようになります。これが勉強と成績の関係の本質です。そして、もう一息の努力をすれば、ついに成績が1024となり、目標に到達できるのです。勉強を続けていると、突然目の前に大海がひろがるように急に視界が開かれて、ものごとがよく理解できるようになったと感じる瞬間があります。ある意味「悟り」にも似た体験ですが、こうした現象はまさに勉学の累積効果によるものなのです。

ここまで到達できれば、成績を2048に伸ばすことも、あと少しの努力で可能です。これが勉強の相乗効果の実体なのです。そして、2048に到達した人は、さんざん努力してようやく64にまでたどり着いた人から見れば、まさに大天才のように見えるのです。

勉強の効果に関して、もうひとつ言えることがあります。それは、天才と凡人の能力の差は確かに大きいけれども、天才どうしの能力の差はさらに大きいということです。成績が1024と2048の両者はともに天才であるけれども、この二人の差は1024ですから、成績値としては恐ろしいほどの差になります。もちろん、1024という差は、成績が64の凡人には、もはや推しはかることのできないほどの差です。

たとえば、草野球の素人集団にプロ野球の選手が混じれば、誰であっても天才的な選手のように映ります。しかし、プロ野球界はけっして「天才」という均一な集団ではなく、やはりその集団の中でも能力の差があります。王貞治選手や長嶋茂雄選手など名選手と、平凡なプロ野球選手との能力の差は素人から見ても歴然です。しかし、その能力の差は、野球の素人には想像することのできないくらい広いものなのです。このように、レベルが高くなればなるほど、各個人の能力の差が広がっていきます。これは、野球に限らず、テニスでも、将棋でも、ピアノでも、勉学でも、まったく同じ原理があてはまります。

こうして考えると、ものごとの習得において、もっとも大切な心得は「努力の継続」であることがわかります。努力を続けて初めて報われるわけです。ですから、なかなか結果が現れないからといって、すぐにあきらめてはいけないのです。もちろん、周囲の天才たちを見て躊躇《ちゅうちょ》することもいけません。彼らと自分の能力を単純にくらべることは無意味です。なぜなら、努力と成果は比例関係にあるのではなく、累乗関数の関係にあるからです。自分は自分。いまは差があっても、努力を続けていれば、いつか必ず天才たちの背中が見え、そして彼らを射程距離内にとらえることができます。こうした成長パターンを示すのが脳の性質なのです。たとえ効果が目に見えなくとも、使えば使った分だけ着実に、能力の基礎が蓄積されていくのです。ときに勉強が辛くなったら、この事実を思い出して自分を鼓舞してください。いつかきっと効果が現れるから、もっとがんばろうと。

「天才」とは、努力が足りない凡人の妄想によって作られた言葉です。この言葉にだまされてはいけません。「九九パーセントの努力と一パーセントのひらめきです」と天才エジソン自らが語ったように、「天才」とは神によって与えられた天賦の才能ではなく、血のにじむような努力の賜《たまもの》なのです。

6-11 記憶することは人の運命

この章では、記憶力を増強させる方法をいろいろと述べてきました。その結果、「好奇心」と「努力」と「忍耐力」、そして、ちょっとした「コツ」が重要であることがわかりました。もちろん、脳に衝撃を与えないことや、アルコールを飲み過ぎないことなど、脆弱《ぜいじゃく》な神経細胞を不必要に殺さないように気を配ることも大切ですが、それ以上に、本人の姿勢と気持ちのありようが要素としては大きいのです。結局は「やる気」がなければ記憶力は増強されません。

どうしてもやる気のない人に何かを記憶させなければならないとしたら、餌や罰を使う以外に、残された方法がありません。しかし、アメやムチでしか動かないとしたら、もはやネズミのオペラント条件づけ同然です。せっかく人間として高度な脳をもって生まれてきているにもかかわらず、その能力を使わないで生きているとしたら、それは忌むべき事態だといえるでしょう。

世の中には、おもしろいこと、わくわくすること、不思議なことなど、こちらから扉を叩いてみたくなるような魅力的な事象に満ちています。そうしたものにアンテナを巡らせながら、人生を楽しむことが人間らしい生き方であると思います。それが人間の「権利」なのです。そして、「人間は無益な受難である」と謳《うた》った名著『存在と無』の中でサルトルが「人間は自由でないことを選ぶ自由はない」と力説しているように、人生を楽しむことはまた人間に課された運命でもあると私は思います。

さまざまな角度から記憶力の増強方法を考えてみましたが、結局は「本人の意欲が大切である」という結論にたどり着きました。しかし、こんな結論はあまりにありきたりです。あたり前なことをここでわざわざ力説することは、まるで親が勉強をしない子供に「おまえはやればできるのだから」と叱るのと同じことです。そんなことをいちいち言われなくても、本人がいちばんそれを理解しています。しかし、そう納得しつつも、できれば楽をしたいという思いもまた人の情です。努力や根気などと大時代めいたスポーツ魂を掲げるのではなく、苦労することなく楽に道を究めてみたいものだと考える人もいるのではないでしょうか。たとえば、記憶力を手軽に増強できるような魔法の薬があったら、誰しもその魅力に惹かれることでしょう。つぎの第7章ではそんな魅惑の薬について紹介します。

第7章

記憶力を増強する魔法の薬

LTPはドコサヘキサエン酸（DHA）で大きくなる

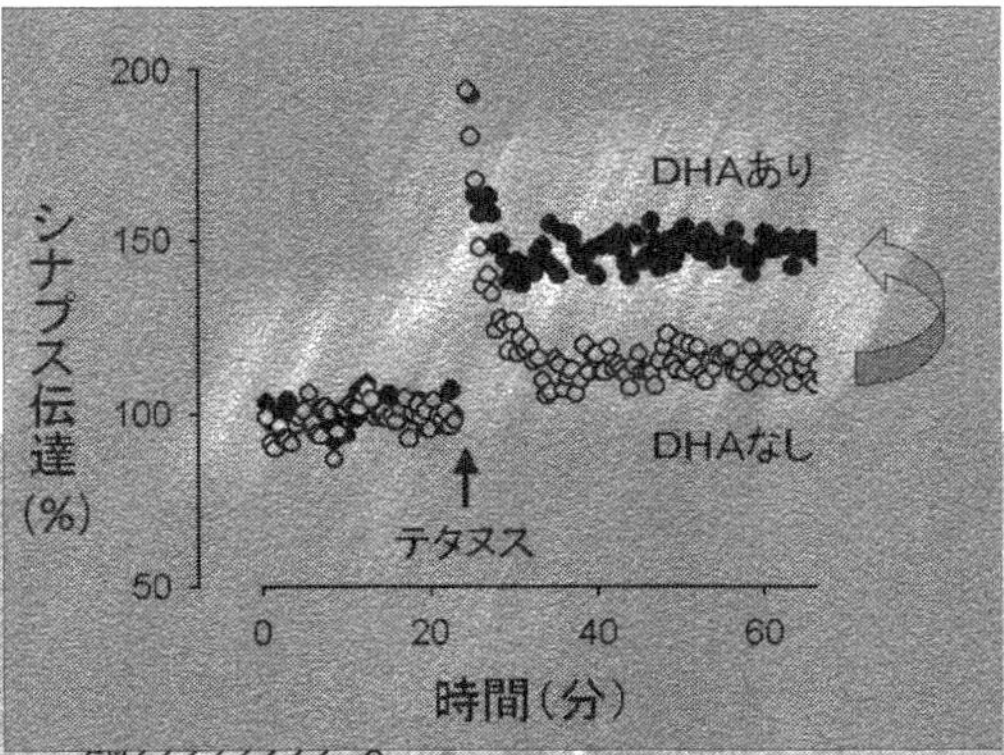

7－1 記憶力のドーピング

薬学部で記憶の研究をしているせいか、「頭がよくなる薬はないのか？」という質問をよく受けます。冗談混じりだとはいえ、多少は本心も含まれているのでしょう。とくに、受験生やその両親はワラをもつかむ気持ちなのだと思います。少し前までならば、そういう質問を受けたとき、私は決まって「そんな夢のような薬があれば、真っ先に自分が飲んでいますよ」と笑って受け流していました。

しかし、どうやら現代の脳科学においては、頭をよくする魔法の薬はあながち夢ではなさそうです。そこで、この第7章では薬と記憶力に関する話題を取りあげたいと思います。ただ、誤解を避けるために、まず皆さんに心に留めておいてほしいことは、ここで問題にする薬はあくまでも記憶に直接作用するものだけに限定したいということです。タバコやある種のハーブのように、頭をすっきりさせるなどの間接的な作用で記憶力を増強する可能性のある薬は、古来の伝統医薬の書物にも際限なく記載されています。その中には作用の根拠が薄弱な薬も含まれているようです。しかし、この本ではそうした薬ではなく、もっと科学的に立証されうる薬物を取りあげようと思います。

そうした中で、もっとも身近な「記憶力増強薬」は、コーヒーの成分カフェインでしょう。コ

魔法の嗜好品コーヒー

ーヒーの歴史は一〇世紀にまでさかのぼり、人類ともっともかかわりの深い嗜好品のひとつであるといっても過言ではありません。また、カフェインには覚醒作用がありますので、嗜好品としてだけではなく、仕事中の眠気や、居眠り運転などを防ぐ目的でもコーヒーが愛飲されています。そして、脳研究者たちは、カフェインに記憶力を促進する作用があるらしいと、ずいぶん昔から気づいていました。近年のボランティアを使った大規模な研究によると、カフェインを服用すると微々たる効果ですが、テストの成績が上昇することが確認されています。

しかし、よいことばかりではありません。コーヒーには弱いながらも依存性があり、飲み過ぎはかえって体に悪影響を及ぼします。しかも耐性ができやすく、飲み続けると効かなくなってしまうのです。ですから、私は「ここぞ！」というときにだけ、カフェインの力を借りるようにしています。しかし逆に、普段コーヒーを飲み慣れていない受験生が、勝負の日にコーヒーを飲み、かえって試験に失敗したという例も聞きます。もともと緊張ぎみのときに、カフェインを飲用すると、脳が必要以上に興奮してしまいます。また、カフェインには心臓の鼓動を促進するはたらきがありますから必要以上にドキドキしてしまうのです。日常生活でも手軽に手に入る記憶力ドーピング剤ですが、カフェインの利用には十分な注意が必要です。

7-2 賢いネズミの誕生

ごく最近、もっと科学的見地から実証された記憶力の増強薬が発見されました。それは私の研究室で見つかったものです。これについて話をする前に、研究の背景を簡単に説明しなければならないでしょう。それは一九九九年のネイチャー誌に米国の分子生物学者チィエンが発表した「天才ネズミ」の話です。

このネズミは、学界に報告されるやいなや、世界中の話題をさらっていきました。チィエンは遺伝子を操作して、記憶力が増強した賢いネズミを作りだしたのです。その理論はいたって単純明快なものでした。LTPが大きくなれば記憶力が増強されるだろうとチィエンは考えたのです。LTPがおこるためにはNMDA受容体が開いて、そこからカルシウムイオンが入り込むことが必要です。ということは、ＮＭＤＡ受容体をたくさんもっているネズミは、カルシウムイオンがそれだけ余分に流入するためきっと賢くなるはずです。そこでチィエンは、ネズミの遺伝子にＮＭＤＡ受容体の遺伝子を余分に組み込んでみました。つまり、ふつうのネズミには、もともとＮＭＤＡ受容体の遺伝子は一組しかないのですが、チィエンが作りだしたネズミにはこの遺伝子が二組あるのです。実際に、このネズミのＮＭＤＡ受容体は開きやすく、約二倍のカルシウムイオンが流れます。そして、予想どおりＬＴＰをよく生じることがわかりました。

チィエンは、大きなＬＴＰをもつこのネズミに水迷路試験を解かせてみました。その結果はきわめてみごとなものです。このネズミは、ふつうのネズミの半分の時間でプールの中から所定の避難場所を見つけだし、しかも、一度見つけた場所をいつまでもしっかりと記憶していたのです。

遺伝子操作による「記憶力増強ネズミ」の誕生。この画期的な研究が世界の注目を浴びたことは言うまでもありません。しかし、この研究には最大の難点がありました。それは、遺伝子導入という方法が人間には応用できないということです。確かに、ガンなどの難治性疾患に対する「遺伝子治療」の有効性は、展望のある明るい話題としてマスコミにも取りあげられています。しかし、ＮＭＤＡ受容体の場合には状況がちがいます。この遺伝子を人に組み込むことは、技術的には可能でも、倫理上行ってはならないことです。

遺伝子治療の目的は、あくまでも「治療」です。それは、患者に欠損した能力を、遺伝子で補うことです。その点において、NMDA受容体を人間に組み込むことは、正常な状態をさらに増強しようとする行為ですから、それは「人体改造」にほかならず、私たち人間の子孫にも影響を与えてしまう重大な問題です。人間の尊厳、生命の聖域、自然の軌範。科学といえども越えてはならない最後の聖線です。したがって、私たちはもっと他のやりかたで、記憶力にアプローチしなければなりません。それに成功したのが私の研究室です。

7-3 肝臓と記憶の不思議な関係

私の研究室でも、チィエンと同じように、NMDA受容体のはたらきに着目していました。つまり、NMDA受容体にカルシウムイオンが流れやすくなれば、記憶力が増強されるはずであるという考えです。私たちは、薬学部という利点を活かして、NMDA受容体の活動を増強する「薬」を探しました。新しい作用をもった薬を探すことを、薬学の世界では「スクリーニング」とよびます。スクリーニングは薬を開発するうえでもっとも重要な最初のステップです。

私の研究室では、今回のスクリーニングを行うにあたって、あくまでも「薬」を作るということをあらかじめ想定し、人間の体内に元来含まれている数ある物質を候補として探索していきました。体にもともと存在するということは、つまり、それだけ副作用の少ない薬になるであろうと考えたのです。そして、数多くの候補物質がスクリーニングされた結果、ついに強力な効果をもった物質が発見されました。それは「Ｋ九〇」という物質です。

じつは、Ｋ九〇は肝臓に多量に含まれていた物質です。肝臓は、手術でたとえその九〇％が摘出されても、残った肝臓の細胞が増殖し、またもとどおりの立派な肝臓に戻ることができます。じつは、肝臓が切除されるとＫ九〇が分泌され、残った肝臓細胞を刺激し増殖させて肝臓を元の大きさに戻すということが知られています。しかし、その後の研究で、Ｋ九〇は肝臓だけにあるわけではないことが判明しました。なんと、Ｋ九〇は脳にも存在していたのです。とくに海馬がＫ九〇を多量に含んでいました。しかし、Ｋ九〇の海馬での役割はまったくの不明です。なぜ、肝臓の物質が海馬にもあるのでしょうか。いったい、Ｋ九〇は海馬で何をしているのでしょうか。

私の研究室では、ＮＭＤＡ受容体のカルシウムイオンの流れを向上させる薬をスクリーニングしていく過程で、Ｋ九〇にとても強力な効果があることを発見しました。Ｋ九〇はＮＭＤＡ受容体のカルシウムイオンの流量をなんと三倍以上に上昇させたのです。驚くべき効力です。私たちはいままでにこれほど強力な作用をもった薬には出会ったことがありませんでした。Ｋ九〇の秘められた可能性に抑えられぬ興奮をおぼえます。居ても立ってもいられず、さっそくＬＴＰに対する作用を調べることにしました。そして、K九〇は、私たちの期待にたがわず、LTPを劇的に増強したのです。これはいける、このときそう確信しました。しかし、つぎのステップに移る前に、まだ解決しなければならない問題がありました。それはLTDの問題です。

K九〇はLTPを促進するものの、LTDに対しては影響を与えませんでした。海馬におけるLTDの役割はいまだに詳しくわかっていないのですが、かつての研究者は、LTPが「記憶」であるのならば、反対の現象であるLTDは「忘却」なのであろうと考えていました。そうであるのならば、LTPを促進しつつ、LTDを抑制するほうが、記憶力が増強されるであろうと期待されます。しかし、この考えは短絡的であることがわかりました。これを証明したのは一九九八年のネイチャーに報告された英国の神経科学者グラントらの研究です。

グラントはネズミの遺伝子を操作し、LTPは大きくおこるけれどもLTDは生じないというネズミを作り出すことに成功しました。従来の考え方にもとづけば、このネズミの記憶力は増強されているであろうと想定されます。しかし、結果は反対で、記憶力はむしろひどく劣っていました。LTDがないとうまく記憶できないのです。つまり、LTDの役割は記憶を消すことではなく、むしろ記憶を補助するものであるといえます。おそらく、LTPとLTDの微妙な均衡が「記憶」を作り出すのに必要なのでしょう。

したがって、薬でLTDを抑制してしまうことは、記憶にとっては好ましいことではありません。ＬＴＤをそのまま残し、ＬＴＰだけを促進するほうが記憶力を増強するためには好都合であるといえます。この意味で、ＬＴＰのみを劇的に増強するというＫ九〇はまさに理想の薬だといえるのです。

こうしてＫ九〇はすべての基準をクリアしました。しかし、この時点ではまだ単に、記憶力増強薬の候補にしかすぎません。シナプス可塑性という観点から、記憶力を増強する可能性が理論上はあるというだけです。そこで私たちはこれを実証するために、水迷路試験を行ってみました。Ｋ九〇をテストの三〇分前にネズミに与えます。すると、Ｋ九〇を与えたネズミは、ふつうのネズミにくらべ、試験の成績が抜群に優れていたのです。しかも、Ｋ九〇をたくさん与えれば与えるほど成績が上昇し、ふつうのネズミの三分の一程度の時間で課題をこなすことができました。勉強時間が三分の一で済むということです。

そこで、つぎに複雑な立体迷路の中に餌を隠し、その餌の場所を覚えさせるという難しい記憶テストを行いました。Ｋ九〇を与えたネズミは、この迷路での成績も上昇していました。しかも驚くべきことに、餌の位置を覚える記憶力が増強していただけでなく、餌の探し方も能率的になっていることがわかりました。つまり、ふつうのネズミは同じ場所を何度も探してしまう傾向があるのですが、Ｋ九〇を与えたネズミは、一度探した場所をよく覚えていて、迷路全体を効率よく探すのです。要するに、Ｋ九〇には記憶力だけではなく、記憶するための仕事効率を高める作用もあったのです。

こうして、NMDA受容体のカルシウムイオンの通過量を増やすK九〇は、実際に知能を高める薬であることが証明されました。

7-4 記憶力とは何か?

しかし、私たちは、K九〇が記憶力を増強するということを発見しただけでは満足しませんでした。つぎに、私たちの興味はもっとミクロな視点に向かいました。K九〇はどのようにしてNMDA受容体のカルシウムイオンの通過量を増やすのか。そのメカニズムを知りたいと思ったのです。そして、多くの時間と試行錯誤を重ねた結果、ついにその仕組みを解明しました。

図12(一〇九ページ)のアセチルコリン受容体のように、NMDA受容体もまた五つのサブユニットからできています。サブユニットの実体は「タンパク質」です。よく知られているように、タンパク質は「アミノ酸」が紐のように細長く連なったものです。ひとつのサブユニットは一〇〇〇個程度のアミノ酸が結合してできています。ですから、全部で分子量は一〇万をゆうに超えます。これが五つ集合して、ひとつのNMDA受容体ができ上がっています。

タンパク質に使われているアミノ酸の種類は全部で二〇種類ほどです。その中のひとつに「セ

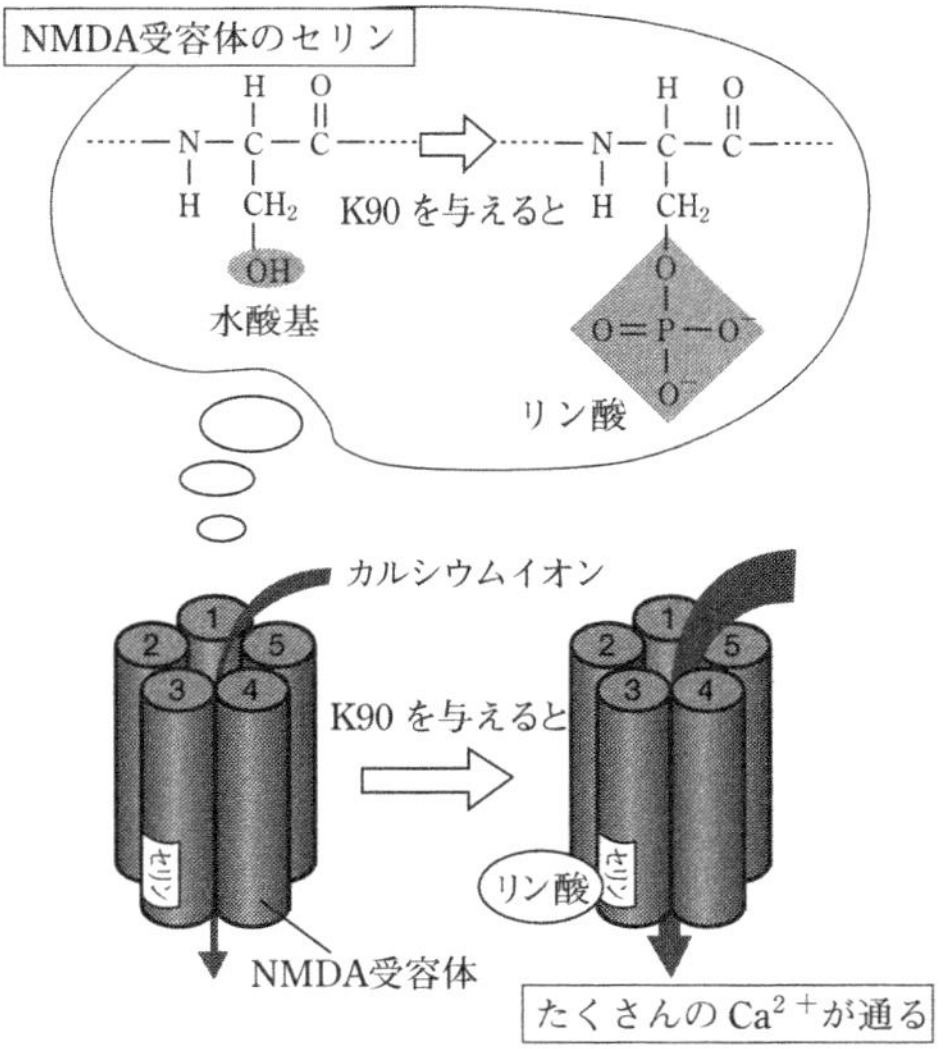

図31　K90はNMDA受容体をリン酸化する

リン」がありますが、なんと、このセリンというアミノ酸がＫ九〇の作用の鍵を握っていました。

セリンには、酸素原子と水素原子からできている「水酸基」とよばれる部分があります。学生時代に化学を習ったことがある人なら理解してもらえることと思います。**図31**に示したように、Ｋ九〇にはＮＭＤＡ受容体に含まれるセリンの水酸基に「リン酸」を共有結合させる作用があったのです。Ｋ九〇を与えると「ＮＲ１」とよばれる特定のサブユニットがリン酸化されます。リン酸はマイナスに帯電していますから、これが結合すると電気的な反発力によってサブユニットが変形します。その結果、ＮＭＤＡ受容体のカルシウムイオン通過量が劇的に増強されるのです。これがK九〇の効力の秘密でした。こうして、K九〇が記憶力を促進するメカニズムが分子レベルで解明されました。

話がミクロの領域にまで立ち入りましたので、ここで視点を変えてみましょう。この本では、これまで皆さんと一緒に「記憶」について考えてきました。いま、あらためて皆さんに問います。「記憶力」とはいったい何でしょう。この問いは本書の中心テーマです。この本を読むまでの皆さんの記憶力に対するイメージは、漠然としていて、何かとらえどころのない抽象的な概念だったと思います。しかし、いま、私たちの研究がこのもやもやを少し取り除いたことでしょう。記憶力は「NMDA受容体」の活動と深い関係があるのです。そして、NMDA受容体にリン酸が結合すると記憶力が増強されるのです。脳科学が解き明かした記憶力の実体は、驚くべきほどに単純な分子の動きだったわけです。

さて、K九〇は魔法の薬になるでしょうか。私たちの研究によると、なんと一〇〇ナノグラム、つまり、一〇〇〇万分の一グラムというきわめて微量なK九〇で記憶力を上昇させることがわかっています。とても強力な作用です。

しかし、私の研究室ではまだK九〇をネズミにしか試していません。ですから、これが本当に人間で効くのかはいまのところ不明です。しかし、人の脳でも、ネズミの脳とまったく同様に、

ＮＭＤＡ受容体やＬＴＰが「記憶」を担っていますので、おそらくＫ九〇は人間でも同じように有効な薬となることでしょう。しかし、仮にＫ九〇が人の記憶力を高めるとしても、まだＫ九〇には安全性の問題が残っています。もちろん、いまのところはＫ九〇には目立った副作用はありませんから、記憶の特効薬として十分な期待がもてると思いますが、安全性に関してはまったく別の視点からの問題があるのです。

私たちは、Ｋ九〇の効果に対して、幾多の実験を行ったものの、それでもまだ、動物の知能の一部分しか検査したことになりません。言うまでもなく、「知能」とは多くの異なった能力が絶妙なバランスを保った上に成立しています。確かに、Ｋ九〇は、私たちの調べた限りでは、知的能力を向上させました。しかし、それによって動物の知能全体がどのような影響を受けてしまうのかはまだわかりません。とくに、人の知能は、ネズミより、はるかに複雑で精巧であることが予想されます。したがって、より高い安全性を確保するためにはさらにさまざまな知的能力に対する影響を確認することが必要です。

Ｋ九〇にはさらに重大な難点があります。それは、Ｋ九〇を脳の中に直接投与しなければ、効果が現れないということです。頭蓋骨に穴を開けて、脳に注入するという方法でなければ効かないのです。人の場合、脳に直接投与することは実用的でないため、これからの課題は、服用や注射でも効果が得られるように、Ｋ九〇を改良していくことにあります。したがって、残念ながら現時点では、K九〇は「薬」ではなく「試薬」であるといわざるをえません。

しかし、私たちは、夢の薬を現実のものとすべく、連日絶え間ない努力を続けています。ですから皆さんにも、私たちの研究を期待を込めつつ温かく見守っていただけたら、と思っています。そして、もし、皆さんの中に脳科学に興味のある人がいたら、ぜひその若い力を貸してもらえれば嬉しいです。私は、そういう志の豊かな人と一緒に、深秘な脳の世界を探索し「記憶」の真実を解明していきたいと思っています。

7-5 記憶力が失われる恐ろしい病気「アルツハイマー病」

アルツハイマー病という病名は皆さんも一度は聞いたことがあると思います。一〇〇年ほど前にドイツで発見された病気ですが、最近では元アメリカ大統領がこの病気を患っていることが報道され、一般社会での認知度もかなり高くなりました。実際、アルツハイマー病の患者数は非常に多く、日本全国で一〇〇万人以上いるといわれています。これは全人口の一％弱に相当します。「痴呆症（ボケ）」とよばれる疾患の半分はアルツハイマー病なのです。さらに、七五歳を越えると五人に一人はアルツハイマー病であるという国内の臨床データもあります。こう考えると、アルツハイマー病は、皆さんにもかなり身近な疾患であることがわかります。

アルツハイマー病の大きな特徴は、加齢とともに病症が進行するということです。第2章の図5（七二ページ）を使って説明したように、初めはもの忘れなどの日常的な症状から始まります。そのうちに物や人の名前が覚えられなくなり、さらには言葉を忘れ、物の認識すらもできなくなってきます。もっと症状が進むと、手足などが固縮してしまい、体が思うように動かなくなります。そして最後には死に至ります。とても恐ろしい病気です。

アルツハイマー病がどのようにして生じるのかという機構に関してはさまざまな解説書が出ていますから、この本では説明しません。ここではあくまでも「記憶」に主眼をおきましょう。アルツハイマー病の初期症状は「記憶力」の低下です。このとき脳で何がおこっているのでしょうか。

アルツハイマー病患者の脳でもっとも顕著な所見は「萎縮」です。神経細胞が死んでしまって脳が縮んでしまうのです。症状が進行すると脳全体が小さくなってしまいますが、アルツハイマー病の初期段階では脳の特定の部位だけに萎縮が見られます。その部位とは「海馬」と「側頭葉」です。言うまでもなく、これらは記憶に深く関係した脳部位です。おそらく、これらの脳部位の神経細胞が死んでしまうために「痴呆」という症状が現れるのでしょう。

そして、脳を細かく調べると、さらに興味深い事実がわかります。アルツハイマー病でもっとも死にやすい神経細胞は「アセチルコリン」という神経伝達物質をもっている神経細胞なのです。つまり、アルツハイマー病の脳ではアセチルコリンの量が正常にくらべてかなり少なくなっているのです。アセチルコリンという神経伝達物質は脳においてとても重要な役割をしています。動物実験ではアセチルコリンのはたらきを阻害すると、その動物は痴呆になってしまうことが知られています。さらに私の研究室でも、アセチルコリンの活動が低下するとLTPが小さくなることを確認しています。

つまり、アルツハイマー病は脳内のアセチルコリンが少なくなったために痴呆をきたすという病気なのです。一九九七年、日本の製薬会社が世界に先がけてアルツハイマー病の画期的な薬を発売しました。この薬はアセチルコリンのはたらきを強めるという効果をもっているのです。

こう考えると、健常人でもアセチルコリンの脳内活動を促進すれば、記憶力の増大につながるだろうと期待されます。しかし、これは間違いのようです。アセチルコリンのはたらきを増強する薬として、もっとも有名なものは「サリン」です。その作用はあまりにも強烈すぎるため、薬というよりも「毒」といったほうが正解かもしれません。一九九五年三月二〇日、五五〇〇人以上の被害者を出した地下鉄サリン事件が、サリンの劇的な効力を一般社会にも知らしめました。そして、皮肉なことに、この事件で一命をとりとめた患者の症例からも、アセチルコリンと記憶の関係が浮き彫りにされました。

サリンの被害を受けた患者の中には、すでに忘れていたはずの遠い過去の記憶が鮮烈によみがえってくるという経験をした人が少なくなかったのです。本人は思い出そうとしていないのに、なぜか、つぎつぎと走馬灯のように記憶がよみがえるのです。側頭葉を電気刺激して過去の記憶がよみがえったというペンフィールドの有名な研究に通じる現象です。しかし、サリンの効果はさらに惨絶で、本人が思い出すことをやめようとしても、意図に反し、つぎつぎと記憶が湧きあがってくるのです。もちろん、これは昼も夜も続きます。当然、寝つけるはずもありません。看病のために立ちあった看護婦は、過去の記憶に苦しめられている患者たちをなだめるのに必死だったといいます。

この例からもわかるように、健常人のアセチルコリンの活動を促進することは、必ずしも有効な記憶力の増強方法ではありません。しかし一方で、アルツハイマー病の痴呆の例や、ＬＴＰの実験例を考えあわせると、アセチルコリンのはたらきを低下させることは記憶にとって好ましくないことは確かです。ですから、これに関しては注意が必要です。

じつは、皆さんの日常生活はアセチルコリンのはたらきを抑制してしまう物質にあふれています。たとえば、誰でも一度は服用したことがある「カゼ薬」や「ゲリ止め」や「乗り物の酔い止め」などです。これらの薬にはアセチルコリンを阻害する成分が入っています。カゼ薬を飲むと頭がボーッとし、ときには眠気を催すこともあります。これは脳のアセチルコリンが抑制されたからなのです。もちろん、記憶力も低下しています。ですから、受験などのとき、カゼにかかっているわけでもないのに「念のため」などとカゼ薬を飲むと、テスト中に大切な知識を思い出せないなどの悲劇がおこってしまいます。したがって、意味もなくこうした薬を飲むのはやめたほうがよいと思います。

もちろん、このような副作用を気にしすぎて、本来は飲むべき薬を飲まず、病状が悪化してしまっては本末転倒です。確かに、どんな薬にも副作用はあります。しかし、副作用をむやみに恐れるのではなく、むしろ副作用についてよく理解し正しく薬を服用することが大切です。また、どうしてもテスト前にカゼ薬やゲリ止めを飲まなくてはならなくなったときには、アセチルコリンを阻害する成分が含まれていない薬もありますから、こうした薬を選べば安心してテストを受けることができるでしょう。薬局の薬剤師に「この薬には脳のアセチルコリンを抑制してしまう成分が含まれていますか？」と聞けば親切に教えてくれるはずです。

ところで、アセチルコリンとＬＴＰはともに記憶に深く関与していますが、関与の仕方はまったく異なります。アセチルコリンは覚えることにも思い出すことにも重要です。ですから、アセチルコリンが阻害されると「記憶」も「想起」もできなくなってしまいます。一方、ＬＴＰは覚えることだけに関与しています。この事実は、海馬が記憶することには重要であるけれど、思い出すことには必要でないこととよく一致しています。ですから、ＬＴＰを阻害しても「想起」は正常にできます。こうしたところが記憶のおもしろい挙動です。

また、さらに興味深いことは、「夢」もまたアセチルコリンで作られるという事実です。夢は、過去の記憶を想起して整理する現象であるということを第6章で述べました。こう考えれば、夢にアセチルコリンが関与していることは、もっともな話です。実際に、レム睡眠のときには脳内のアセチルコリンのはたらきが活発になります。逆に、アセチルコリンを阻害する薬を飲むと夢が抑制されます。レム睡眠は記憶力と密接な関係がありますから、アセチルコリンを阻害する薬は、「夢」という観点からも、記憶にとっては好ましくないということになります。

最後にアセチルコリンとは関係ありませんが、ほかにもレム睡眠を抑えてしまう薬がありますす。「睡眠薬」です。しかし、すべての睡眠薬ではなく、とくに「バルビツール系」の睡眠薬ではレム睡眠を阻害する効果が強いようです。受験前などにストレスがたまり、眠れなくなってしまって睡眠薬を飲まなければならなくなったような場合には、大切な記憶力が影響されては困りますから、医者とよく相談したほうがよいかもしれません。

7-6　楽しく酒を飲みましょう

最後にふたたび私の研究室から、おもしろい実験結果をひとつ紹介しましょう。酒の話です。酒は人生の楽しみです。その歴史はコーヒー以上に古く、古代文明にまでさかのぼるといわれ

酒を楽しく飲むために

ています。「百薬の長」という言葉がありますが、一方で、酒にはやっかいな部分がないわけではありません。そのひとつとして「アルコール性健忘症」が挙げられます。酒を飲むと記憶をなくしてしまう人がいますが、まさにこれがアルコール性健忘症です。私の研究室では、アルコールを動物に飲ませるとＬＴＰが抑制されるという現象を確認しています。どうしてそうなるのかという問題についてはここでは考えなくてもよいでしょう。しかし、このＬＴＰの抑制を解く薬があれば安心して酒が飲めるであろうと期待されます。そして、私たちはスクリーニングを行い、よい薬を発見しました。

　パエリヤというスペイン料理を知っているでしょうか。ピラフのようなものですが、あのライスの黄色はサフランという植物のめしべからとったものです。サフランはクロッカスという植物の一種で、日本では大分県が主産地となっています。そして、サフランのめしべの成分であるクロシンという物質こそが、いまここで述べようとしている薬です。正常な動物にクロシンを与えてもＬＴＰには何の影響もないのですが、あらかじめクロシンを与えた動物はアルコールを飲んでもＬＴＰが抑制されないのです。このようにクロシンには、ＬＴＰに異常があった場合のみ、薬としてはたらくという「正常化作用」ともいえる効果があるわけです。

さらに、学習テストでも同じ結果が得られました。クロシンは正常な動物の記憶力には影響を与えないのですが、あらかじめクロシンを与えるとアルコールを飲ませても記憶力が低下しません。こうしたクロシンの効果はまだ動物実験のレベルでしか確認されていませんが、もし、人でも有効であるのなら、酒を飲む前にクロシンを服用しておけば、酒の席での失態も防ぐことができるでしょうし、深酔いしても最終電車の時間を忘れずにすむでしょう。酒を楽しく飲むという意味で、最近巷で話題になっている「生活改善薬」としての期待がもてるかもしれません。

第8章

脳科学の未来

海馬の異常によっててんかん発作をおこす子ネズミ

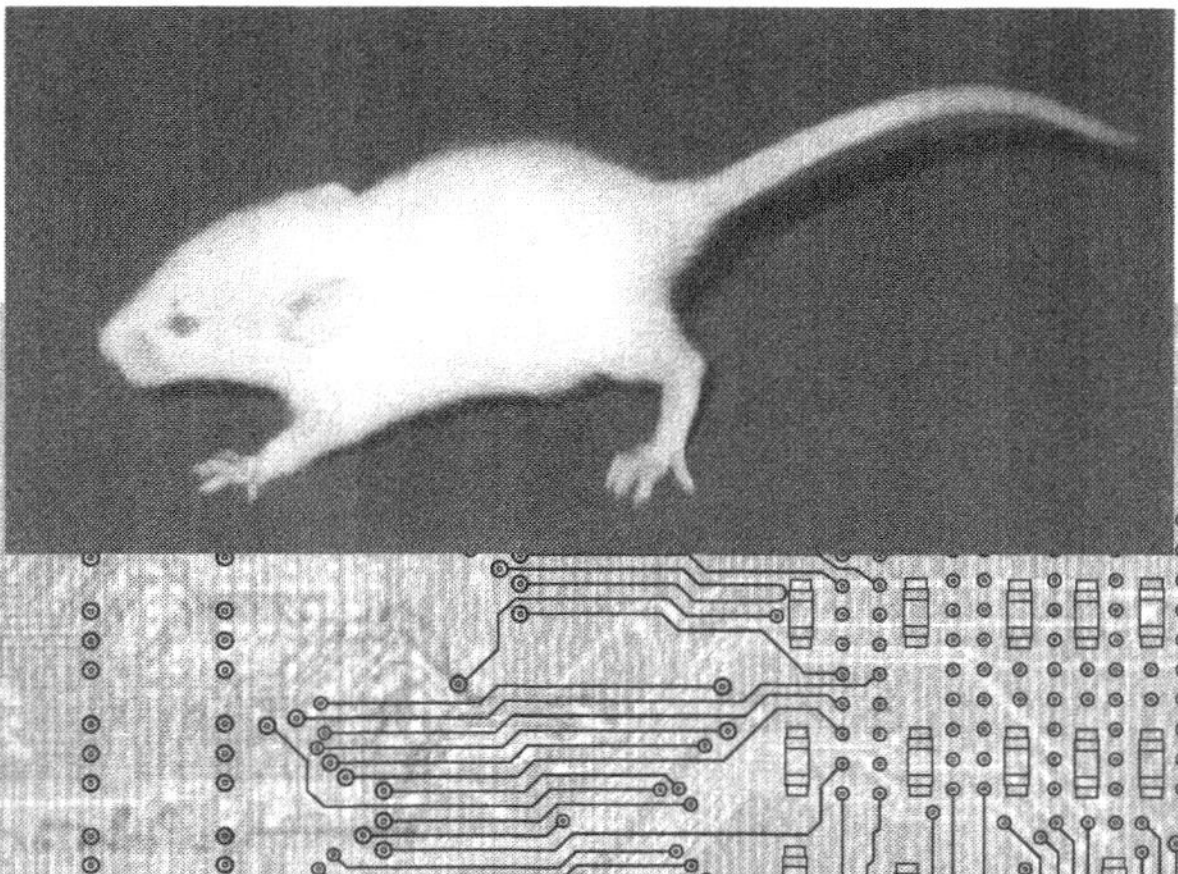

8-1　豊かな将来

皆さんと一緒に歩んできた脳科学の旅も、残すところあとわずかとなりました。この最終章では、本書のテーマである「記憶」という脳の一機能を通じて、脳科学の将来を展望してみましょう。

まず、夢の「記憶力増強薬」が実現したとしたら、世の中にいったい何がおこるでしょうか。私たち脳科学者は、痴呆症や健忘症の治療や予防のために、記憶の特効薬を開発しています。あくまでも、患者本人や困っている周囲の人に役立つことができれば幸いであると考えています。しかし、いざ薬が完成したら、健康な人でもその魅力に惹かれるのではないでしょうか。記憶力を増強できる魔法の薬。これさえあれば、他人よりも優れた頭脳を、手軽に手に入れることができます。そうすれば、難関校の突破も夢ではなくなりますし、会社での出世も早まるかもしれません。

しかし、これは「知能のドーピング」ですから、正常な人がこうした薬物を使用することに対しては慎重になるべきだと訴える人も出てくるでしょう。また、倫理上の問題から、服用する本人にも罪悪感が伴うかもしれません。しかし、少し挑発的な意見かもしれませんが、私個人の考えとしては、これらの点は、それほど重要な問題ではないと思っています。なぜなら、こうした薬を使用することは、ビタミン剤や栄養ドリンクを飲むことと、さして変わらない行為だからです。

スポーツ選手のドーピングが問題視されるのは、スポーツ精神にもとるからという側面も確かにありますが、もっとも重要な問題は、ドーピング剤が猛烈な毒性をもっていることです。現在の筋肉増強剤や興奮薬などは、選手の健康や生命をむしばんでしまうものが多いのです。

ですから、その安全性が十分に保証されてさえいれば、知能のドーピングは公認されてもよいと私は考えています。そして、実際に、老若男女を問わず、誰もが薬を使って記憶力を増強できる時代が来るだろうと信じています。もしかしたら、インフルエンザの予防接種のように、その機会が平等に与えられさえするかもしれません。

しかし、みんなが平等に薬を利用すると、他人との差をつけられなくなってしまうから、結局は意味がなくなってしまうと危惧する人もいるでしょうか。しかし、もし本当にそう思っている人がいたら、それは、視野の狭い、非常に独りよがりな考え方です。知能を増強することで期待される効果は、何もテストの成績の上昇や出世だけではないからです。記憶力がよくなれば、その分、勉学や仕事に割く時間が少なくてすみます。そうなれば、余った時間を利用して、友達と遊んだり、自分の趣味に打ち込んだり、家族サービスをしたりと、人の心にまでゆとりが生まれてくるのです。つまり、記憶力の増強薬は、人類に彩りのある生活と豊かな人間性をプレゼントしてくれる「夢の薬」なのです。こうした視点で「知能ドーピング剤」を眺めれば、もはや、倫理的問題が取り沙汰されることはないでしょう。私自身、早くそういう時代が来てほしいと切に願っています。

8-2 他人の脳をもらう

ところで、薬ではなく、もっとほかの方法で、記憶を増強させることはできないでしょうか。確かに、「治療」という臨床的な観点からすると、薬はもっとも手軽な方法ですが、欠点もあります。そのひとつは、作用が一過性であるということです。つまり、飲んでから時間が経つと、薬の効果は自然に消えてしまいます。薬の効果を持続させるためには、たとえば、「一日三回食後」などのように、定期的な服用を続けなければなりません。

それは健康な人ではたいした欠点にはなりませんが、痴呆患者では無視できない問題となってきます。なぜなら、痴呆という症状によって、患者本人が服用すべき時間を忘れてしまったり、ときには、つい先ほど薬を飲んだこと自体を忘れてしまったりするからです。当然、家族や介護人がきちんとめんどうをみなければならず、その分、周囲の人の負担が増えてきます。こうした意味で、薬よりも効果が長続きする別の治療方法の出現が待たれるところです。できれば、一回の治療で永続的な効果が得られることが望ましいでしょう。

さらに、薬で痴呆症を治療するということに関しては、もっと別のレベルでの問題点もあります。それは、あくまでも薬は症状を「改善」するだけであって、痴呆症の根本的な原因を取り除いているわけではないということです。痴呆症は、神経細胞が少しずつ死んでしまう進行性の病気です。つまり、薬にできることは、まだ生き残っている神経細胞にがんばってもらうか、もしくは、これ以上の神経細胞が死なないように保護するか、という二つの方法しかないのです。いずれの方法にしても、痴呆という症状の原因を根本的に取り除いていることにはなりません。なぜなら、死んでしまった神経細胞はもう生き返らせることができないからです。つまり、薬は痴呆症を「改善」することはできても、抜本的に「治療」することはできないのです。

痴呆症を完全に治療するために残された方法は、ただひとつ、足りなくなった神経細胞を補うということです。つまり、脳移植です。私の研究室でも、この可能性について、かなり以前から真剣に取り組んできました。そして、脳に神経細胞を移植する技術はすでにほぼ確立しました。つまり、移植自体はなんとかできるというわけです。残された課題は、どのような神経細胞を移植すべきかということです。

その候補として、世界で注目されているのが、海馬の歯状回にある顆粒細胞（の前駆細胞）です。顆粒細胞は、脳の中でもきわめて異例の「増殖」する神経細胞です。増殖という能力があれば、少しの神経細胞を移植しただけで、脳の中で数が増えて、神経細胞の欠損数を容易に補うことができるかもしれません。また、試験管の中で大量に増殖させてから、十分な数の神経細胞を移植すれば、より早い治療効果を期待することができるかもしれません。そして、移植された神経細胞が、痴呆患者の脳の中で元気に生きて、増殖を続けてくれれば、治療の効果はかなり長続きすることになるでしょう。このように、神経細胞の移植治療は、現代脳科学におけるもっとも熱い話題のひとつです。そして、私自身もまた、その秘められた可能性に大きな期待を寄せています。

8－3　科学が「心」を理解する

脳科学が解明してきた「記憶」の実体についてこれまで説明してきました。もちろん、これで記憶がすべて解明できたというわけではありません。脳科学はまだ歩んでいる最中です。しかし、実際のところ、脳科学はいまどのくらいまで歩んできたのでしょうか。ゴール目前なのでしょうか。それとも、まだ初めの一歩を踏み出したにすぎないのでしょうか。この疑問について少し考えてみましょう。

記憶は幾多の段階にわかれています。少なくとも「学習すること」「記憶をたくわえること」

「思い出すこと」という三つの段階があるとされています。専門的には、これらの段階をそれぞれ「獲得」「固定」「再生」とよんでいます。

この本では、LTPや海馬などの多くの視点から「記憶」について、皆さんと考えてきました。しかし、気づいた人もいるかと思いますが、この本で私が説明したものは、三つの段階のうち、「獲得」と「固定」についてのみです。「再生」についてはほとんど述べてきませんでした。もちろん、意味記憶を思い出すためには、「きっかけ」が重要であるなどと、「再生」について簡単に説明した部分もありました。しかし、この「きっかけ」という表現すらも、きわめて曖昧なものにすぎません。したがって、私の説明だけでは十分な説得力をもって皆さんの生活に還元できるような内容を記述したことにはならないでしょう。

結局、私はこの本全体にわたって、記憶の「再生」について触れるのを避けてきました。その理由は、現代の脳科学がまだ「再生」という現象をほとんど解明していないからです。海馬はLTPを使って情報の取捨選択（獲得）を行い、完成した記憶を側頭葉に保存（固定）するというように、「獲得」や「固定」については、かなり詳しく解き明かされています。しかし、「再生」の話題になると、脳科学は突然、その雄弁な口を閉ざしてしまうのです。なぜでしょうか。その理由は、「再生」という行為には、「記憶」以外の脳の高次元な機能が深く絡んでいるからなのです。これについて説明する前に、まず、再生のメカニズムについて簡単に述べたいと思います。

脳には気が遠くなるほど膨大な量の記憶がたくわえられています。にもかかわらず、皆さんは、思い出したいときに、その必要な部分を必要な量だけ自由に思い出すことができます。「再生」という行為は、普段、なにげなく行っていることですから、難しいことではないと思ってしまいがちです。しかし、脳にとってそれは想像を絶するほど煩雑な仕事なのです。なぜなら、保存されている無数の記憶を「検索」して、その中から目的の記憶を探り出さなければならないからです。つまり、「思い出せ」という指令を数多くの神経回路につぎつぎと送ることで、いま必要とされている情報が書き込まれている神経回路を発見しなければならないのです。

もちろん、脳には神経回路が無数にありますから、まったく関連のない神経回路を無秩序に検索していたら、いつ目的の回路に行き当たるかわかりません。でたらめに回路を検索していたのでは、検索の成功確率はとても低いものになるでしょう。これを克服するために、脳は、互いに連絡のある神経回路に沿って記憶を検索するという方法をとっています。つまり、いま検索している神経回路に目的の情報がなかったとしたら、つぎに検索すべき回路として、いまの回路と密接に連合されている神経回路が選ばれるわけです。

これは、私たちがものごとを思い出す（再生する）ときのことを考えてみればわかります。たとえば、観光地で出会った青年が誰だったかを思い出すときに、「ん？　どこかで見た顔だな」「そういえば、研究棟で見かけたことがある」「ということは、近隣の研究室の人にちがいない」

「待てよ？　研究棟の二階でよく見かけるから、その階の研究室の人かな」「そうだ、あの研究室の教授が彼と一緒に食堂にいたのを見かけたことがあるぞ」「ああ、わかった！」といった具合に、関連のある事象をつぎつぎと検索していって、ようやく目的の事象を掘り出すことができるのです。「ん？　どこかで見た顔だな」のつぎに「アメリカの初代大統領は誰か」などと検索を行うことはありません。このような無秩序な検索を行っていたのでは、いつまで経っても青年の名前は再生されないでしょう。こうして考えると、連合された神経回路を伝って検索することが、いかに能率的な検索方法であるかを理解してもらえると思います。

第6章で、事象をより多く連合させることが記憶にとって重要であることを力説しましたが、その理由はここにあります。より多く連合された記憶は、それだけ検索に引っかかる可能性が高くなるのです。事象が多く連合されれば、その分、その事象に行き当たる確率が高くなり、思い出しやすくなるわけです。エピソード記憶が、意味記憶と異なり、任意に再生できるという理由も、エピソード記憶のほうがはるかに多くの事象が複雑に連合されているからにほかなりません。第2章の冒頭で、私はある休日に観光地で出会った青年の名を思い出すことができませんでしたが、それは神経回路が十分に連合されていなかったためです。「どこかで見た顔だな」から「研究棟で見かけたことがある」という連想ができなかったのです。

一方、エビングハウスの忘却曲線の例でもあったように、「忘れる」ということは、記憶が消えることではなくて、「再生」できなくなったことに相当します。記憶は、脳の中に「固定」されてはいるのですが、それが検索できなくなったということです。固定された記憶も、使われずに放っておくと、互いの連合の強さがだんだんと薄れてきます。そして、ついには検索不可能にさえなってしまうのです。それが「忘却」の正体です。多くの事象が複雑に連合されたエピソード記憶すらも、放置しておくと、連合の数が減り、いつしか意味記憶に変わってしまいます。場合によっては、さらに連合が減って忘却されてしまうかもしれません。

　以上が「再生」に関する説明なのですが、これをもって脳科学は「再生」という現象を十分に解明しているといえるでしょうか。もちろん、答えはNO《ノー》です。それは、再生においてもっとも重要なことがまったく述べられていないからです。

　私は、この説明の中で「再生とは『思い出せ』という指令によって、必要な情報の書き込まれている神経回路を発見することである」と述べました。しかし、ここでいう「『思い出せ』という指令」とはいったい何物なのでしょうか。とても科学者の使う言葉とは思えません。専門的にいうならば「意識」ということになります。ある特定のものを思い出そうとする意志です。こうした「きっかけ」があって、初めて事象を思い出すことができます。じつは、現代の脳科学は、この「意識」の実体をほとんど解明することができていません。

第6章では、記憶力を増強するためには、本人の「意欲」がもっとも重要な要因であるとも述べました。しかし、そもそも意欲とは何でしょうか。この問いに対しても、現在の科学は解答することができません。脳科学は「心」をまだ説明できていないのです。

「科学」が、記憶の実体を検証しようとしたとき、「獲得」と「固定」については、かなり詳しく研究することができたのですが、「再生」の解明に取りかかろうとしたときに、「心」という難物に阻まれて急に標的がボヤけてしまったのです。

しかも、「再生」における心の関与は、私たちが想像する以上に深いものでした。たとえば、意識は、再生の「きっかけ」を与えるだけではなく、再生の「停止」にも関与しています。検索によって目的の神経回路に行き着いたとき、「これこそが、いままさに思い出そうとしている事象である」と判断をくだすのもまた意識なのです。もし、この判断がうまくできなかったら、つぎつぎに記憶が再生されてしまい、収拾がつかなくなってしまうでしょう。記憶の必要な部分を必要な量だけ自由に思い出すという、普段の皆さんがなにげなく行っている行為は、想像を絶するほど高次元な脳のはたらきによって遂行されているのです。

また、「再生」の研究をさらに困難にしているのが「潜在的な意識」です。たとえば、私たちはときどき、これといった「きっかけ」もなく、ふとものごとを思い出すことがあります。忘れていた大切な用件を突然思い出して慌てたり、気づかないうちにお気に入りの歌を口ずさんでいたり、癖で思わずいつもの交差点を曲がってしまったり、「ほうれんそう」を「ほうれんそう」と読んでしまったりなどという現象も無意識による記憶の再生です。じつは、これらの現象は、きっかけがまったくないわけではなく、私たちの気づかないところで、「潜在的な意識」が脳にきっかけを与えているのです。

潜在意識の効果はこれだけではありません。たとえば、私たちは、無意識のうちに思い出したくない嫌な経験を忘れようとしています。思い出すと不快になるから、その記憶を無意識に遠ざけているのです。もちろん、その記憶は脳の中に固定されています、それにもかかわらず、「心」はその再生を妨げようとします。そうした、深層心理が記憶に対して及ぼす効果もまた、記憶の挙動をさらに複雑にしてしまい、科学的な検証を困難にしているのです。

そして、「意識」によって司られているのは「再生」だけではありません。意識は「獲得」に対してもまた、絶大な影響力をもっています。私たちは覚えようと意識したものを自在に記憶できます。見たり聞いたりしたものをすべて覚えてしまうのではなくて、その中から必要なものを選んで記憶しています。その選択方法には、大きく二つのパターンがあります。ひとつは、感情が深く絡んだものを覚える方法で、もうひとつは、記憶しようと本人が強く意図したものを覚える方法です。つまり、自然にできる「思い出」と、テスト前の暗記に代表されるような意図された記憶の二つです。言うまでもなく、後者の記憶は「意識」によってコントロールされています。前者の思い出のメカニズムに関しては、扁桃体とＬＴＰの研究を通して、私自身がすでに解明しましたが、意図的な記憶のメカニズムは世界的にもまだほとんどわかっていません。

「意識」が関与するこうした多くの現象は、そのどれもが脳の研究者にとって非常に興味深いものです。しかし、その研究はまだ始まったばかりです。脳の中で「意識」が作られる場所は、大脳皮質の前部、つまり、おでこのすぐ内側に相当する「前頭葉」であるといわれています。東京大学の宮下保司は、一九九九年のネイチャー誌に、前頭葉から側頭葉に神経信号が送られると、記憶が再生されることを示唆しました。これは、前頭葉で発生した「意識」が、記憶の保存庫である側頭葉を刺激して、記憶を取り出していることを意味しています。こうした萌芽的な研究が契機となって、今後、脳科学が「心」という未知なる分野を急速に開拓していくことと思います。そして、私の研究室でも、脳科学の最後の砦ともいわれる「意識（とくに注意力）」の研究を始めています。科学の進歩に少しでも貢献できればと考えています。

8－4　なぜ海馬なのか

この本では、一貫して「海馬」をキーワードとし、「記憶」の実体を考察してきました。ここまで読んできた皆さんなら、「海馬」と聞けばすぐに「記憶を司る脳部位」であるというイメージを浮かべることができるでしょう。「記憶」は生命の高次元機能の象徴ですから、海馬は生命の枢要機関であるといっても過言ではありません。これが海馬に対する「脳科学」の観点です。しかし、「医療現場」では海馬はずいぶんとちがった目で見られています。どちらかというと、海馬は邪魔者扱いされているのです。手に負えない厄介な存在なのです。

その理由は、海馬が「疾患」の病巣になりやすいということにあります。たとえば、「アルツハイマー病」は海馬から萎縮が始まることはすでに述べました。同様にして「統合失調症」の患者でも海馬の神経細胞死が認められることが近年わかってきました。さらに最近になると、「糖尿病」の末期患者に見られる痴呆症にも海馬のシナプスの減少が伴っていることが発見されています。一方、「てんかん」もまた海馬と深い関係があります。海馬で異常な神経信号が発せられると、これが脳全体に伝わりてんかん発作を引きおこすのです。しかも、一度てんかん発作がおこると、歯状回の発達が正常に行われなくなり、ますます発作が生じやすくなります(これも私が学生時代に解明しました)。

そして、海馬と疾患のきわめつけは「虚血」です。脳に血液が循環しなくなると、脳が死んでしまうことはよく知られていますが、これは「脳」が死んでしまうというよりも、厳密には「海馬の神経細胞」が死んでしまうといったほうが正確です。数分でも脳の血流が止まってしまうと、海馬の神経細胞はいともたやすく死んでしまうのです。海馬以外の神経細胞はその程度の傷害では死にません。海馬の神経細胞は傷つきやすく脆弱なのです。もちろん、海馬の神経細胞が死んでしまえば記憶力は失われてしまいます。痴呆症の半分はアルツハイマー病ですが、残りの半分は「脳血管性痴呆症」とよばれる疾患です。つまり、脳の血管が損傷されるために神経細胞が死んでしまう病気なのです。海馬の変性がその主要な病因になっていることは想像に難くないでしょう。

このように医療現場から海馬を見ると、さまざまな脳疾患の病巣部位として「厄介者」の様相を呈してきます。いわば諸悪の根源です。それならば盲腸（虫垂）のように切除してしまえばよいのかというと、そういうわけにもいきません。てんかんでやむを得ず海馬を切除したＨＭの有名な症例が、海馬摘出による悲惨な結末を物語っています。つまり、海馬は「記憶」の枢軸ですから、むやみに切除するわけにはいかないのです。邪魔者であるにもかかわらず大切な部位でもあるのです。このように、脳高次元機能と病気という正邪の両面が「治療」において不可避なジレンマを引きおこしてしまうのです。

それにしても、なぜ、海馬は「脳高次元機能」と「疾患」という諸刃《もろは》を背負い込んでしまったのでしょうか。もちろん、この問いに答えなどないでしょう。しかし、これに対する私なりの考えを、この本の最後に示したいと思います。それは私の「博士論文」の最終章からの抜粋になります。多少長い引用ですが、この本全体を通じて皆さんにもっとも伝えたかったことが要約されていますので、この引用をもって、皆さんと共に歩んできた、記憶の探索の旅を終わりにしたいと思います。

海馬は他の中枢神経系には観察されない特異な特性を示す。とくに「疾患」との関連に関しては古くから議論されており、本研究でも主眼を置いてきた。しかし、なぜ海馬だけにこうした現象が認められるのであろうか。これは、今回の様な研究を行う上で常居する根本的疑点であり、中枢神経系の機能や疾患を巨視的に掌握する上で解決される必要のある課題でもある。

(中略)

神経系はいうまでもなく生命の維持に必須な根源的活動を管理する枢要な組織である。そして、この規矩は個体の生涯を通じて貫流する不変の基礎規程である。逆に、この制御機構の崩壊は個体の終焉への危機を示顕することとなる。したがって、この崩壊を生じないために、中枢神経系は可塑性や再生を認可しない堅固たる構造を持続する必要がある。これが中枢神経系が胎生期に形成される理由と考えられる。そして、誕生時に構築されていた神経構成は死期まで保持されるのである。これこそが生命維持のために生体が採用した最良の手段であったのであろう。

しかし、これだけでは生命の維持は困難である。生体がより延命するためには外界への適応能力を併せもつ必要がある。臨機応変に外界の変化に適応すること、換言すれば認知－学習－記憶－変成という行為、このために必要な性質こそが可塑性である。可塑性は生理学的可塑性と構造学的可塑性に分類されるが、生体は生命維持のためにこうした可塑性という特性も一方で必要とした。神経組織が恒性と可塑性という相反する両現象を具有しているのは、まさにそうした理由が根幹にあるのであろう。

ここで重要なことは、生体制御の変容を意味するこの可塑性という性質は一方で、制御機構の崩壊すなわち生体機能障害（疾患）という危殆と隣接しているという点である。この危険性を最小限に抑留するために生体が採用した手段は、可塑性を与える神経組織を限局するという方法である。古くから記憶・学習に重要な脳部位であるとされる海馬で可塑性という現象がきわめて屢次に観察されるということは、海馬こそが選ばれた神経組織であることを示している。

中でも歯状回に認められる可塑性は顕著である。そして、この歯状回だけが生後に形成される理由は、より高次の可塑性を与えるためなのであろう。一般に形成された直後の神経繊維は高い生理学的可塑性を示すし、さらに、生後でも増殖できるという能力を通じてつぎつぎと転生し、神経回路の様態を大胆に変化させるという構造学的可塑性を表現することも可能となる。しかも、歯状回の軸索は興奮性神経繊維であるにもかかわらず例外的に無髄軸索である。ミエリン鞘は可塑性や再生の妨碍となることを考慮すれば、無髄軸索であるという点は高度な可塑性を発現するためにきわめて有利に作用するといえる。

このように、生体は海馬という神経組織に対してとりわけ高度な可塑性を認可し、また、そのために海馬のみに用意周到な機構を与えている。裏を返せば、この理由で、海馬は疾患という病理レベルにもっとも近い神経組織となってしまった。海馬には、疾患という危険因子を代償として、高次な可塑性を支持するための分子機構が施与されている。これが本節の冒頭で行った問いかけへの回答であると考えられる。

——博士論文「てんかん様過剰神経活動による海馬神経回路の異常形成」(池谷裕二)
第5章より抜粋(本書転載にあたり一部改変)

おわりに

さらさらと桜が散りゆく季節のことです。研究室のデスクに設置されたパソコンに一通の電子メールが届きました。私のホームページを見つけたという講談社の篠木和久さんからのものでした。

「はじめまして。（中略）池谷さんがホームページで書かれているようなアプローチでの記憶のお話は大変興味深く、可能なら一般向けの本にまとめさせていただければとも考えています」

これが本書の生まれた契機です。しかし、現代科学において高度に専門化した内容を一般向けにわかりやすく説明することはもはや不可能というものです。初めは執筆すべきか否か悩みましたが、篠木さんの情熱に後押しされる形で、本としてまとめようと決意しました。

聞けばブルーバックスの著者としては、私は例外的な若手であるとのことです。確かに、巷にあふれる脳の解説書の著者を探してみても三〇歳という若造は見あたりません。しかし、逆に、最先端の現場にいる私から見ると、そうした一般書の内容の古さを否定することはできません。研究とはたえず進歩するものです。そして、それは現場にいる者にしか理解できないことです。

本書の執筆は、現役の脳研究者として現代科学の最先端の内容を皆さんに直接伝えることのできる絶好の機会であると考えました。

もちろん、極度に込み入った複雑な脳科学の世界を詳解することは端《はな》から無理なことです。科学を説明するためには「わかりやすさ」か「正確さ」のどちらかを犠牲にしなければなりません。したがって、この本では、せめてその大局的な骨格だけでも皆さんに理解していただきたいと割り切り、思い切った説明をしました。表現を端折《はしょ》った部分や曖昧な説明をした箇所も多々あります。したがって、私としては非常に歯痒い思いですし、また同分野の研究者から見ても舌足らずに感じる箇所もあろうかと思います。それでも、最先端の内容をできるだけ盛り込むように注意を払い、結果としては、現場の雰囲気を多少なりとも皆さんに伝えることができたのではないかと自負しています。

現在の脳研究はいまだ最終駅への中途にあります。二一世紀こそが真の「脳の時代」であるという人もいます。脳科学はこれから発展していくためのほんの準備段階に立っただけなのかもしれません。確かに、脳の不思議な機能には、まだまだ未解明な現象が多く存在しています。本書で述べた内容にも十分な科学的実証が得られていないケースもあります。しかし、わからないからこそ脳は不思議で魅力的なものでもあるのです。もし、この本を読んで「脳」に興味をもつ人がいたら、ぜひ、私たちといっしょに脳の研究をしてみましょう。研究とは楽しく、そしてまた深淵な世界です。そういう意志のある人は思い切ってこの世界に飛び込んできてください。それが本書を執筆した私にとってもっとも嬉しいことです。最先端の現場でそういう皆さんを待っていたいと思います。

最後に、出版に際し貴重な意見を述べてくださった編集部の高月順一さん、情報の氾濫するインターネットの世界から私のホームページを掘り出してくださった篠木和久さん、本書の出版を快諾しご配慮くださった私の所属する研究室である東京大学薬学部薬品作用学教室の松木則夫教授、執筆にあたり甚大なる助力と策励を頂いた多くの友人と研究室のメンバーに感謝申し上げます。

●参考文献

本書執筆にあたり、専門雑誌の原著論文ならびに以下の文献を参考にしました。

『記憶の大脳生理学』　千葉康則　講談社（一九九一年）
『脳が考える脳』　柳沢桂子　講談社（一九九五年）
『脳―可塑性と記憶と物質』　久保田競編　朝倉書店（一九八八年）
『世界文学大系13』『情念論』デカルト著　伊吹武彦訳　筑摩書房
『ここまでわかった脳と心』　スーザン・グリーンフィールド編　山下篤子訳　集英社（一九九八年）
『心理学』　鹿取廣人・杉本敏夫編　東京大学出版（一九九六年）
『脳・心・コンピュータ』　松本元編　丸善（一九九六年）
『脳から心へ』　宮下保司・下條信輔編　岩波書店（一九九五年）
『脳の分子生物学』　Z.W.ホール著　美馬達夫・渡辺卓／訳　吉本智信　石崎泰樹訳　メディカル・サイエンス・インターナショナル（一九九六年）
『記憶は脳のどこにあるのか』　酒田英夫　岩波書店（一九八七年）
『脳小宇宙への旅』　信濃毎日新聞社編　紀伊国屋書店（一九九一年）
『脳の働きを科学する』　日本化学会編　大日本図書（一九九二年）
『Essentials of Neural Science and Behavior』　E.R. Kandel, J.H. Schwarts, T.M.Jessell 編

APPLETON & LANGE（一九九五年）

『Cellular and Molecular Neurobiology』 C. Hammond編 ACADEMIC PRESS（一九九六年）

『Fundamental Neuroscience』 M.J. Zigmond, F.E. Bloom, S.C. Landis, L.R. Squire編 ACADEMIC PRESS（一九九九年）

〈アルファベット〉

〈な行〉

〈は行〉

〈ま行〉

〈や・ら・わ行〉

さくいん

〈あ行〉

〈か行〉

N.D.C.491.371　274p　18cm

ブルーバックス　B-1315

記《き》憶《おく》力《りよく》を強《つよ》くする
最新脳科学が語る記憶のしくみと鍛え方

2001年１月20日　第１刷発行
2024年４月12日　第53刷発行

著者　池谷《いけがや》裕二《ゆうじ》
発行者　森田浩章
発行所　株式会社講談社
〒112-8001 東京都文京区音羽2-12-21
電話　編集　03-5395-3524
販売　03-5395-4415
業務　03-5395-3615
印刷所　（本文表紙印刷）株式会社ＫＰＳプロダクツ
（カバー印刷）信毎書籍印刷株式会社
製本所　株式会社ＫＰＳプロダクツ

定価はカバーに表示してあります。

ISBN4-06-257315-6

発刊のことば

科学をあなたのポケットに

二十世紀最大の特色は、それが科学時代であるということです。科学は日に日に進歩を続け、止まるところを知りません。ひと昔前の夢物語もどんどん現実化しており、今やわれわれの生活のすべてが、科学によってゆり動かされているといっても過言ではないでしょう。

そのような背景を考えれば、学者や学生はもちろん、産業人も、セールスマンも、ジャーナリストも、家庭の主婦も、みんなが科学を知らなければ、時代の流れに逆らうことになるでしょう。

ブルーバックス発刊の意義と必然性はそこにあります。このシリーズは、読む人に科学的に物を考える習慣と、科学的に物を見る目を養っていただくことを最大の目標にしています。そのためには、単に原理や法則の解説に終始するのではなくて、政治や経済など、社会科学や人文科学にも関連させて、広い視野から問題を追究していきます。科学はむずかしいという先入観を改める表現と構成、それも類書にないブルーバックスの特色であると信じます。

一九六三年九月

野間省一

ブルーバックス　医学・薬学・心理学関係書（I）

921 自分がわかる心理テスト　桂 戴作＝監修 芦原 睦
1021 人はなぜ笑うのか　志水 彰／角辻 豊／中村 真
1063 自分がわかる心理テストPART2　芦原 睦＝監修
1117 リハビリテーション　上田 敏
1176 考える血管　児玉龍彦／浜窪隆雄
1184 脳内不安物質　貝谷久宣
1223 姿勢のふしぎ　成瀬悟策
1258 男が知りたい女のからだ　河野美香
1315 記憶力を強くする　池谷裕二
1323 マンガ　心理学入門　N・C・ベンソン 清水佳苗／大前泰彦＝訳
1391 ミトコンドリア・ミステリー　林 純一
1418 「食べもの神話」の落とし穴　髙橋久仁子
1427 筋肉はふしぎ　杉 晴夫
1435 アミノ酸の科学　櫻庭雅文
1439 味のなんでも小事典　日本味と匂学会＝編
1472 DNA（上）ジェームス・D・ワトソン／アンドリュー・ベリー 青木 薫＝訳
1473 DNA（下）ジェームス・D・ワトソン／アンドリュー・ベリー 青木 薫＝訳
1500 脳から見たリハビリ治療　久保田競／宮井一郎＝編著
1504 プリオン説はほんとうか？　福岡伸一
1531 皮膚感覚の不思議　山口 創
1551 現代免疫物語　岸本忠三／中嶋 彰

1626 進化から見た病気　栃内 新
1633 新・現代免疫物語「抗体医薬」と「自然免疫」の驚異　岸本忠三 中嶋 彰
1647 インフルエンザ　パンデミック　河岡義裕／堀本研子
1662 老化はなぜ進むのか　近藤祥司
1695 ジムに通う前に読む本　桜井静香
1701 光と色彩の科学　齋藤勝裕
1724 ウソを見破る統計学　神永正博
1727 iPS細胞とはなにか　朝日新聞大阪本社 科学医療グループ
1730 たんぱく質入門　武村政春
1732 人はなぜだまされるのか　石川幹人
1761 声のなんでも小事典　和田美代子 米山文明＝監修
1771 呼吸の極意　永田 晟
1789 食欲の科学　櫻井 武
1790 脳からみた認知症　伊古田俊夫
1792 二重らせん　ジェームス・D・ワトソン 江上不二夫／中村桂子＝訳
1800 ゲノムが語る生命像　本庶 佑
1801 新しいウイルス入門　武村政春
1807 ジムに通う人の栄養学　岡村浩嗣
1811 栄養学を拓いた巨人たち　杉 晴夫
1812 からだの中の外界　腸のふしぎ　上野川修一
1814 牛乳とタマゴの科学　酒井仙吉

ブルーバックス　医学・薬学・心理学関係書 (II)

ブルーバックス　生物学関係書（I）

ブルーバックス　生物学関係書 (II)

1861 発展コラム式　中学理科の教科書　改訂版　生物・地球・宇宙編　石渡正志　滝川洋二＝編
1872 マンガ　生物学に強くなる　堂嶋大輔＝作　渡邊雄一郎＝監修
1874 もの忘れの脳科学　苧阪満里子
1875 カラー図解　アメリカ版　大学生物学の教科書　第4巻　進化生物学　D・サダヴァ他　石崎泰樹　斎藤成也＝監訳
1876 カラー図解　アメリカ版　大学生物学の教科書　第5巻　生態学　D・サダヴァ他　石崎泰樹　斎藤成也＝監訳
1889 社会脳からみた認知症　伊古田俊夫
1898 哺乳類誕生　乳の獲得と進化の謎　酒井仙吉
1902 巨大ウイルスと第４のドメイン　武村政春
1923 コミュ障　動物性を失った人類　正高信男
1929 心臓の力　柿沼由彦
1943 神経とシナプスの科学　杉　晴夫
1944 細胞の中の分子生物学　森　和俊
1945 芸術脳の科学　塚田　稔
1964 脳からみた自閉症　大隅典子
1990 カラー図解　進化の教科書　第1巻　進化の歴史　カール・ジンマー　ダグラス・J・エムレン　更科　功／石川牧子／国友良樹＝訳
1991 カラー図解　進化の教科書　第2巻　進化の理論　カール・ジンマー　ダグラス・J・エムレン　更科　功／石川牧子／国友良樹＝訳
1992 カラー図解　進化の教科書　第3巻　系統樹や生態から見た進化　カール・ジンマー　ダグラス・J・エムレン　更科　功／石川牧子／国友良樹＝訳
2010 生物はウイルスが進化させた　武村政春
2018 カラー図解　古生物たちのふしぎな世界　土屋　健／田中源吾＝協力
2034 ＤＮＡの98％は謎　小林武彦
2037 我々はなぜ我々だけなのか　川端裕人／海部陽介＝監修
2070 筋肉は本当にすごい　杉　晴夫
2088 植物たちの戦争　日本植物病理学会＝編著
2095 深海――極限の世界　藤倉克則・木村純一＝編著　海洋研究開発機構＝協力
2099 王家の遺伝子　石浦章一
2103 我々は生命を創れるのか　藤崎慎吾
2106 うんち学入門　増田隆一
2108 ＤＮＡ鑑定　梅津和夫
2109 免疫の守護者　制御性Ｔ細胞とはなにか　坂口志文／塚﨑朝子
2112 カラー図解　人体誕生　山科正平
2119 免疫力を強くする　宮坂昌之
2125 進化のからくり　千葉　聡
2136 生命はデジタルでできている　田口善弘
2146 ゲノム編集とはなにか　山本　卓
2154 細胞とはなんだろう　武村政春

ブルーバックス　生物学関係書（Ⅲ）

2156 新型コロナ　7つの謎　宮坂昌之

2159 「顔」の進化　馬場悠男

2163 カラー図解　アメリカ版　新・大学生物学の教科書　第1巻　細胞生物学　D・サダヴァ他　石崎泰樹・中村千春＝監訳　小松佳代子＝訳

2164 カラー図解　アメリカ版　新・大学生物学の教科書　第2巻　分子遺伝学　D・サダヴァ他　石崎泰樹・中村千春＝監訳　小松佳代子＝訳

2165 カラー図解　アメリカ版　新・大学生物学の教科書　第3巻　分子生物学　D・サダヴァ他　石崎泰樹・中村千春＝監訳　小松佳代子＝訳

2166 寿命遺伝子　森　望

2184 呼吸の科学　石田浩司

2186 図解　人類の進化　斎藤成也＝編・著　海部陽介　米田　穣　隅山健太

2190 生命を守るしくみ　オートファジー　吉森　保

2197 日本人の「遺伝子」からみた　病気になりにくい体質のつくりかた　奥田昌子

ブルーバックス　趣味・実用関係書（Ⅱ）

1696 ジェット・エンジンの仕組み　吉中　司
1707 「交渉力」を強くする　藤沢晃治
1725 魚の行動習性を利用する釣り入門　川村軍蔵
1773 「判断力」を強くする　藤沢晃治
1783 知識ゼロからのExcelビジネスデータ分析入門　住中光夫
1791 卒論執筆のためのWord活用術　田中幸夫
1793 論理が伝わる　世界標準の「書く技術」　倉島保美
1796 「魅せる声」のつくり方　篠原さなえ
1813 研究発表のためのスライドデザイン　宮野公樹
1817 東京鉄道遺産　小野田　滋
1847 論理が伝わる　世界標準の「プレゼン術」　倉島保美
1864 科学検定公式問題集　5・6級　竹内　薫＝監修　桑子　研／竹田淳一郎
1868 基準値のからくり　村上道夫／永井孝志／小野恭子／岸本充生
1877 山に登る前に読む本　能勢　博
1882 「ネイティブ発音」科学的上達法　藤田佳信
1895 「育つ土」を作る家庭菜園の科学　木嶋利男
1900 科学検定公式問題集　3・4級　竹内　薫＝監修　桑子　研／竹田淳一郎
1910 研究を深める5つの問い　宮野公樹
1914 論理が伝わる　世界標準の「議論の技術」　倉島保美
1915 理系のための英語最重要「キー動詞」43　原田豊太郎
1919 「説得力」を強くする　藤沢晃治

1926 SNSって面白いの？　草野真一
1934 世界で生きぬく理系のための英文メール術　吉形一樹
1938 門田先生の3Dプリンタ入門　門田和雄
1947 50ヵ国語習得法　新名美次
1948 すごい家電　西田宗千佳
1951 研究者としてうまくやっていくには　長谷川修司
1958 理系のための法律入門　第2版　井野邊　陽
1959 図解　燃料電池自動車のメカニズム　川辺謙一
1965 理系のための論理が伝わる文章術　成清弘和
1966 サッカー上達の科学　村松尚登
1967 世の中の真実がわかる「確率」入門　小林道正
1976 不妊治療を考えたら読む本　浅田義正／河合　蘭
1987 怖いくらい通じるカタカナ英語の法則　ネット対応版　池谷裕二
1999 カラー図解　Excel「超」効率化マニュアル　立山秀利
2005 ランニングをする前に読む本　田中宏暁
2020 「香り」の科学　平山令明
2038 城の科学　萩原さちこ
2042 日本人のための声がよくなる「舌力」のつくり方　篠原さなえ
2055 理系のための「実戦英語力」習得法　志村史夫
2056 新しい1キログラムの測り方　臼田　孝
2060 音律と音階の科学　新装版　小方　厚

ブルーバックス　趣味・実用関係書（III）

ブルーバックス12cmCD-ROM付

ブルーバックス　物理学関係書（I）

79 相対性理論の世界　J・A・コールマン　中村誠太郎＝訳
563 電磁波とはなにか　後藤尚久
584 10歳からの相対性理論　都筑卓司
733 紙ヒコーキで知る飛行の原理　小林昭夫
911 電気とはなにか　室岡義広
1012 量子力学が語る世界像　和田純夫
1084 図解　わかる電子回路　加藤　肇／見城尚志　高橋　久
1128 原子爆弾　山田克哉
1150 音のなんでも小事典　日本音響学会＝編
1174 消えた反物質　小林　誠
1205 クォーク　第2版　南部陽一郎
1251 心は量子で語れるか　ロジャー・ペンローズ／A・シモニー　N・カートライト／S・ホーキング　中村和幸＝訳
1259 光と電気のからくり　山田克哉
1310 「場」とはなんだろう　竹内　薫
1380 四次元の世界（新装版）　都筑卓司
1383 高校数学でわかるマクスウェル方程式　竹内　淳
1384 マックスウェルの悪魔（新装版）　都筑卓司
1385 不確定性原理（新装版）　都筑卓司
1390 熱とはなんだろう　竹内　薫
1391 ミトコンドリア・ミステリー　林　純一
1394 ニュートリノ天体物理学入門　小柴昌俊
1415 量子力学のからくり　山田克哉
1444 超ひも理論とはなにか　竹内　薫
1452 流れのふしぎ　石綿良三／根本光正＝著　日本機械学会＝編
1469 量子コンピュータ　竹内繁樹
1470 高校数学でわかるシュレディンガー方程式　竹内　淳
1483 新しい物性物理　伊達宗行
1487 ホーキング　虚時間の宇宙　竹内　薫
1509 新しい高校物理の教科書　山本明利　左巻健男＝編著
1569 電磁気学のABC（新装版）　福島　肇
1583 熱力学で理解する化学反応のしくみ　平山令明
1591 発展コラム式　中学理科の教科書　第1分野（物理・化学）　滝川洋二＝編
1605 マンガ　物理に強くなる　関口知彦＝原作　鈴木みそ＝漫画
1620 高校数学でわかるボルツマンの原理　竹内　淳
1638 プリンキピアを読む　和田純夫
1642 新・物理学事典　大槻義彦／大場一郎＝編
1648 量子テレポーテーション　古澤　明
1657 高校数学でわかるフーリエ変換　竹内　淳
1675 量子重力理論とはなにか　竹内　薫
1697 インフレーション宇宙論　佐藤勝彦

ブルーバックス　物理学関係書（II）

1701 光と色彩の科学　齋藤勝裕
1715 量子もつれとは何か　古澤　明
1716 「余剰次元」と逆二乗則の破れ　村田次郎
1720 傑作！　物理パズル50　ポール・G・ヒューイット＝作　松森靖夫＝編訳
1728 ゼロからわかるブラックホール　大須賀健
1731 宇宙は本当にひとつなのか　村山　斉
1738 物理数学の直観的方法（普及版）　長沼伸一郎
1776 現代素粒子物語（高エネルギー加速器研究機構）　中嶋　彰／KEK＝協力
1780 オリンピックに勝つ物理学　望月　修
1799 宇宙になぜ我々が存在するのか　村山　斉
1803 高校数学でわかる相対性理論　竹内　淳
1815 大人のための高校物理復習帳　桑子　研
1827 大栗先生の超弦理論入門　大栗博司
1836 真空のからくり　山田克哉
1860 発展コラム式　中学理科の教科書　改訂版　物理・化学編　滝川洋二＝編
1867 高校数学でわかる流体力学　竹内　淳
1871 アンテナの仕組み　小暮裕明／小暮芳江
1894 エントロピーをめぐる冒険　鈴木　炎
1905 あっと驚く科学の数字　数から科学を読む研究会
1912 マンガ　おはなし物理学史　小山慶太＝原作　佐々木ケン＝漫画
1924 謎解き・津波と波浪の物理　保坂直紀
1930 光と重力　ニュートンとアインシュタインが考えたこと　小山慶太
1932 天野先生の「青色LEDの世界」　天野　浩／福田大展
1937 輪廻する宇宙　横山順一
1940 すごいぞ！　身のまわりの表面科学　日本表面科学会
1960 超対称性理論とは何か　小林富雄
1961 曲線の秘密　松下泰雄
1970 高校数学でわかる光とレンズ　竹内　淳
1981 宇宙は「もつれ」でできている　ルイーザ・ギルダー　山田克哉＝監訳　窪田恭子＝訳
1982 光と電磁気　ファラデーとマクスウェルが考えたこと　小山慶太
1983 重力波とはなにか　安東正樹
1986 ひとりで学べる電磁気学　中山正敏
2019 時空のからくり　山田克哉
2027 重力波で見える宇宙のはじまり　ピエール・ビネトリュイ　安東正樹＝監訳　岡田好恵＝訳
2031 時間とはなんだろう　松浦　壮
2032 佐藤文隆先生の量子論　佐藤文隆
2040 ペンローズのねじれた四次元　増補新版　竹内　薫
2048 $E=mc^2$のからくり　山田克哉
2056 新しい1キログラムの測り方　臼田　孝